Cet ouvrage est
offert par l'association
FAVERGES-AKROM à la section de
Français du professeur Robert GEAMTET
afin que les étudiants puissent se faire une
idée de notre beau pays et pourquoi pas y
venir un jour où nous les accueillerons avec plaisir.
Les familles de l'association.
La présidente Yvette MILLOT

la FRANCE entre TERRE et CIEL

la FRANCE entre TERRE et CIEL

nov'edit

Sommaire

Cet ouvrage est édité par Nov'Edit Paris - Tous droits réservés
Rédaction de l'ouvrage : Dimitri Friedman
Conception graphique : Patrick Perrin
Réalisation de la couverture : Laurent Didier - Cactus Graphique

ISBN : 2-915363-11-0
Imprimé en Italie par Canale
Dépôt légal : 3e trimestre 2003

PAGE PRÉCÉDENTE
Les Albères (66). Vue sur les vignobles de Banyuls et côte Vermeille.

CI-CONTRE
Le Puy du Sancy (1886 m). Le plus haut sommet du Massif Central (63).

LA FRANCE ENTRE TERRE ET CIEL

Introduction

Qui n'a pas rêvé de voler ? D'être cet aigle là-haut dans le ciel du Mont Blanc, des Pyrénées ou du Piton de la Fournaise en Guadeloupe ? Qui n'a pas rêvé de prendre de la hauteur et d'observer ces monuments, ces ponts, ces châteaux, cette nature si douce et parfois cette âpreté du paysage ?
Vision romantique, peut-être, mais vision bien réelle. Vu d'en haut comme en témoigne ce livre, la France est belle et riche de sa diversité. Voler est un vieux rêve, d'Icare dans la mythologie grecque à Léonard de Vinci et ses dessins de drôles de machines. Un rêve qui nous ramène aux origines de notre humanité, à notre enfance, à nos livres d'histoires, à nos contes. Qui n'a pas rêvé de caresser du regard les ocres du village de Roussillon, le bleu des champs de lavande en Provence, le gris des Côtes d'Armor, le bleu turquoise de la Polynésie ; de se laisser glisser dans les plis blancs des marais salants de Guérande ; de s'aventurer dans le décor de cinéma des remparts de Carcassonne ; de s'étourdir de la courbe parfaite du Stade de France. Pour nous les hommes, des photographes de talent ont réalisé ce rêve...

Il faut là haut toute la palette d'un peintre pour saisir la beauté de ces lumières. Comme celle de Gustave Courbet qui peignit, à l'été 1866, la douceur des falaises d'Etretat en Normandie. Mais l'on peut percevoir aussi, dans ces paysages, une sorte de force immuable, comme ces dolmens dressés contre le vent, reflets de granit au Guilvinec. Parfois le cliché nous donne des ailes de géologues pour remonter le temps vers le Tertiaire, comprendre la beauté sauvage de la chaîne des Puys en Auvergne et de ses quatre-vingts volcans. Chaque cratère raconte une histoire : le Puy de Dôme arrondi au sommet, la lave s'étant refroidie au fur et à mesure qu'elle se répandait à l'air libre. Le grand Suchet comme une cicatrice à vif, signe d'une

CI-CONTRE
Le Mont Saint-Michel à la tombée de la nuit.

éruption violente. Le Puy de Côme et son double cratère, dû à la blessure de deux éruptions successives. Le Banc d'Arguin, à l'entrée du Bassin d'Arcachon, qui nous berce de ses rondeurs de ventre maternel... Sommes nous au Canada ? Dans le Colorado ? Non c'est en France. Pour s'en convaincre, il suffit de se laisser flotter et de feuilleter les pages. Même l'île de Tetiaroa en Polynésie française que Marlon Brando acheta après le tournage du film « Les Révoltés du Bounty » est encore dans le pays de nos rêves, en cinémascope. Des sources d'Auvergne aux côtes de Bretagne ; des Landes à la Camargue, ce qui importe, c'est le coup d'aile qui nous emporte, loin, très loin, là-haut, et la plongée abrupte sur un pays encore neuf et sauvage.

Comme si le temps n'y suffisait pas, l'homme a rajouté sa patte à cette matière première qu'est la France. Il a sculpté le paysage. Avec le temps, ce mélange devient pays, mais aussi signes mystérieux, alphabet ou horizon de lumière. En Limagne par exemple, ce coin d'Auvergne étale, comme des carrés d'une régularité de mécano, champs de blé et de luzerne. Soudain la photo prend des allures de tableau abstrait. Les marais de l'Ile d'Olonne sont un labyrinthe bleuté. Les pistes parcourues de camions, qui mènent au terminal de Fos, une giclée de peinture rouge. C'est le privilège et la technique des photographes, en réglant l'objectif et la lumière selon l'heure de la journée, de prendre de la distance pour nous donner la sensation d'être dans le tableau. C'est comme si l'on était ailleurs, ou très près : ces vignes au sud de Bédarieux ressemblent à un détail de l'écorce d'un arbre africain. Les Salins de Giraud font écho aux côtes sauvages de la Mauritanie. Les bassins ostréicoles pourraient tout aussi bien être des rizières en terrasse à Bali.

Point n'est besoin de voyager, il suffit de feuilleter ces pages pour y être, en restant ici. Ce n'est qu'un jeu, bien sûr, un album de photos en forme de clin d'œil. A quoi ressemble un champ de pommes dans la vallée de la Durance ? A une peinture de Sioux. Un parc à huîtres du bassin de Thau ? A un composant électronique dans une

CI-CONTRE
Le Lauragеais, champs de colza et autres cultures.

navette spatiale…et ainsi de suite. C'est ainsi, la France entre terre et ciel oscille entre les premiers âges, l'exotisme et le futurisme.
Un tel paysage ne peut pas être issu uniquement d'un rêve. Il n'a pas été non plus jardiné, pour le plaisir de nos yeux. Il est issu de la patience des hommes et de la patine du temps.

Sous les yeux de l'aigle, sous nos yeux, défilent des pans entiers de l'Histoire de France. Un patrimoine partagé et une chronique avérée de ce que furent les générations mélangées qui ont constituées ce pays.
La route de la Tarentaise, en Savoie a été ouverte sous Jules César, en 45 avant JC… Le Pont du Gard, construit vers l'an 50, les arènes d'Arles, ou le Théâtre Antique d'Orange, édifiés au début de l'ère chrétienne, Orcet, près de Gergovie, a vu passer les armées de Jules César marchant contre celles de Vercingétorix.
Dans cette espèce d'œuvre en perpétuelle évolution, les époques ainsi que les paysages défilent sous les ailes, comme des pages qui tournent au gré du vent. A l'œil de l'aigle, du photographe, rien n'échappe, et surtout pas les détails. Au-dessus de la Loire, les châteaux de la « Vallée des Rois » brillent de mille feux, sur leurs terrasses Renaissance, dans leurs jardins redessinés au siècle suivant par Le Nôtre comme à Cordes, et jusque dans leurs escaliers monumentaux que montèrent allègrement rois, reines, intrigantes, maîtresses et courtisans. Là c'est Amboise, Chambord, Blois et encore Azay le Rideau ou Chenonceau.
Une telle beauté, une telle régularité dans ces jardins « à la française », une telle profusion ne peut cacher que le débordement de leurs passions. Sacrés rois de France ! A Chenonceau, deux rivales s'affrontèrent, Diane de Poitiers et Catherine de Médicis. L'une était la maîtresse de Henri II après avoir été celle du père, François 1er, la seconde était sa femme et Reine de France. Diane reçut Chenonceau en cadeau de la part de Henri II. Catherine de Médicis, folle de jalousie, n'eut de cesse de lui reprendre. Ce qu'elle fit quand le roi mourut, l'œil percé par une lance dans un tournoi. Et tout cela au

CI-CONTRE
Dans le parc des volcans d'Auvergne, le massif du Sancy (63)

milieu de fêtes fastueuses, galantes, de jeux d'eau et feux d'artifices, à faire pâlir d'envie les reconstitutions du Puy du Fou.

Aujourd'hui, les châteaux de France sont sages comme des images. Ils ne sont plus habités, ils sont visités. Vus du ciel ils nous rappellent les pages de nos livres d'histoire, romancés par Alexandre Dumas. Rambures en Picardie fut construit par David de Rambures en 1412, un vrai général du Moyen-âge qui perdit la vie à Azincourt à la tête de l'armée française face aux anglais, avec trois de ses quatre fils ! Shakespeare l'a immortalisé sous le nom de Lord Rambures dans son « Henry V ».

Mais quand nos châteaux sortent leurs plus beaux atours, la magie opère encore en nous. Comme à Amboise, où Charles VIII qui avait fait construire ce château, mourut à l'âge de vingt huit ans, en 1498, en heurtant du front le linteau d'une porte, alors qu'il se rendait à une partie de jeu de paume dans les fossés. Dix sept ans plus tard, François 1er y conçut pour la première fois la Renaissance française et comme un trait de génie y invita Léonard de Vinci, dont les restes reposent désormais dans la Chapelle.

Vu d'en haut, on pourrait croire que la France, entre deux batailles, deux guerres, deux révolutions, est toujours en fête. Qu'il y a toujours quelque part une première, une générale, un bicentenaire ou un spectacle inoubliable. Là, c'est Chambord, le plus imposant des châteaux de la Loire. Un heureux divertissement construit également par François 1er et ses petits fils, siège d'un enchantement où Molière donna la première représentation du Bourgeois Gentilhomme et de Monsieur de Pourceaugnac, devant Louis XIV. Ici, le Louvre, rêve de grandeur de Louis XIII, que Louis XIV déserta en 1678 pour faire encore plus grand à Versailles.

A la vision des rois, reines et princesses, répondent les visions des saints devant lesquels on s'agenouillait. Saint Louis se fit construire un port en 1240, Aigues-Mortes en Camargue, comme un quadrilatère parfait, pour aller conquérir la terre sainte. En 1270, Saint Louis y embarqua pour sa dernière croisade, à la rencontre de son

CI-CONTRE
Château de Montfort (24). L'aboutissement de 8 siècles de construction.

destin et mourut de la peste à Carthage.

Aubert, évêque d'Avranches à qui apparut l'archange Saint-Michel, fit construire au début du VIIIe siècle un oratoire sur le Mont Tombe dont il ne reste rien aujourd'hui. Les Bénédictins édifièrent à la place une église en forme de croix, construite à 80 mètres au-dessus de la mer. C'est le Mont Saint Michel, abbaye romane vaste et haute, ceinte d'un village, entouré des flots.

D'autres visions, d'autres cathédrales, la France est aussi bâtie sur ces rêves. A croire que ce pays, si humain, si mesuré, le pays de la raison pure peut aligner les superlatifs et pas seulement dans l'industrie du luxe, des transports, ou pour les compétitions de football. La cathédrale d'Amiens est un chef d'œuvre de l'art gothique et est le plus vaste édifice médiéval de France. Reims, bâtie à partir de 1270 sur le lieu même où Clovis fut baptisé et couronné Roi des Francs, en 496. Trente et un sacres furent célébrés en ce lieu entre 816 et 1825, dont celui de Charles VII roi de France le 17 juillet 1429, emmené par Jeanne d'Arc.

Parfois on frise l'extravagance, le nonsense. Fort Boyard en est l'illustration jusqu'au ridicule heureusement détourné en un jeu populaire. Ce ne fut pas une sinécure que de construire Fort Boyard pour protéger la rade et l'arsenal de Rochefort à l'embouchure de la Charente contre l'ennemi anglais. On essaya sous Colbert, mais on renonça à cause des hauts fonds. En 1801, Napoléon relança le projet. On coula des blocs de pierre extraits des carrières locales. Las ! Le travail ne pouvait s'effectuer que quelques heures par jour, à marée basse et par beau temps. Et comme les rochers s'enfonçaient dans le sable, en 1809 la construction fut abandonnée. Elle reprit en 1841, avec une autre technique, à base de caissons coulés qui firent gagner du temps, et en 1848 les fondements étaient achevés. Le Fort fut édifié dessus en 10 ans. Entre-temps, la portée des canons était devenue beaucoup plus grande, et l'Angleterre n'était plus notre ennemie mais notre alliée. Pour farfelu qu'il était, le projet tint bon. Un fort de soixante dix mètres sur trente, et vingt de hauteur, posés sur l'océan

CI-CONTRE
Gruissan (11). Vieux village en « circulade » et vestiges du château et de la Tour dite Barberousse (800 ans).

qui tomba dans l'oubli jusqu'à ce que les clés soient concédées à France 2 pour un célèbre jeu télévisé.

C'est le destin de ces forts que de servir de décor comme le Fort La Latte, près du Cap Frehel, construit au 13ème siècle, où Kirk Douglas et Tony Curtis s'affrontèrent en 1957 à la tête de leurs armées dans « les Vikings » de Richard Fleischer. Les deux chefs vidèrent leur querelle en un combat épique dans la tour à 60 mètres du sol.

L'oubli vient du ciel, c'est bien connu. Parfois il ne reste que la trace d'un donjon, comme l'amas de pierres posé sur l'île de Finocchiarola en Corse. Une photo vue d'en haut, c'est assez pour nous émouvoir et nous enchanter. Ainsi, l'élan qui nous pousse toujours plus haut, toujours plus loin, saute-t-il aux yeux, comme si le Moyen-âge et ses ruelles préfiguraient les tours de la Défense.

Voilà les temps modernes ! Ceux de Chaplin, des machines, de l'âge de fer, de monsieur Gustave Eiffel, de la fée électricité, des banlieues, des parkings, des grand-messes populaires, des marinas et des départs en vacances... La civilisation des loisirs a toujours de quoi faire rêver, comme à Port Grimaud, à la Grande Motte, en petite Camargue. Les loisirs de masse s'y sont ancrés dans les années soixante, sur une idée simple : offrir au plus grand nombre des vacances plus courtes, plus souvent : des week-ends ! Concept qui sera aussi décliné dans les nouvelles générations de stations de sports d'hiver comme à Piau Engaly, grand cirque rond ouvert sur les Pyrénées. La Grande Motte s'est arrondie, en prenant de l'âge. L'endroit vit bien au gré du sac et du ressac de la Méditerranée qui bercent les mâts ancrés dans le port. Même les anciennes cités, les vieux ports, se sont mis à la page, comme en témoigne ce livre, et ont vu leurs quais se hérisser de mâts en aluminium et de quelques tours ou capitaineries en acier. Carry le Rouet entre Marseille et Martigues, que popularisa Fernandel dans les années trente, s'est refait une jeunesse sur fond de calanques, de pastis et de concours d'oursinades. Le vieux port de Nice et de Cassis à côté de Marseille ont suivi. Les vieux villages comme Métabief

CI-CONTRE
Cours Jean-Baptiste Langlet, Reims (51)

CCF

entre Doubs et Jura, qui n'étaient pas aux pieds des pistes ont séduit les fondus du ski de fond par leurs vieilles pierres, leurs forêts de sapins et leur culte de l'effort sur fond de jeux olympiques. Ile Grande à Lannion, près de Trébeurden que parcourut en cotre l'écrivain anglais Joseph Conrad, s'est couverte de coques en carbone pour le plus grand plaisir des navigateurs en fin de semaine. Quand ils ne sont pas de plaisance, ces ports sont industriels : Sète, près de l'étang de Thau, patrie de l'écrivain Paul Valéry et du chanteur Georges Brassens, Lyon sur le Rhône, premier port fluvial avec Paris, Marseille tourné vers la Méditerranée. Horizons d'aciers, tours de verre, ouvrages en béton intégrés dans une nature sauvage comme le barrage de Villefort, ou celui du lac de la Girette sous la neige dans le Beaufortin. Arabesques modernes qui nous mènent quelque part, échangeurs, parkings, aires d'autoroutes...

Les grands espaces encore inhabités, portraits de nature redessinée par l'homme, fabuleux vestiges de notre patrimoine, grandes agglomérations industrielles et urbaines... autant de chapitres qui s'illustrent au gré des pages grâce au talent de grands spécialistes de la photographie aérienne pour un rendu extraordinaire.

Nous vous invitons donc maintenant à effleurez un peu de ce rêve en parcourant, comme l'aigle, la France entre terre et ciel ! Faites parti du voyage dans le panorama de couleurs, formes et reliefs de la France ...

CI-CONTRE
La ville de Grenoble vue de nuit (38).

les GRANDS ESPACES

Parfois, il nous prend des envies de grands espaces, comme une chevauchée dans les steppes de Mongolie, une course en chiens de traîneau à travers les neiges du Canada, une descente en raft sur le fleuve Colorado. On en oublie que ces lieux magiques existent en France. Au-dessus de la Tarentaise, de Porquerolles, du Roussillon, de l'Auvergne, du bassin d'Arcachon, du massif du Mont Blanc, et lorsque qu'on les contemple dans les pages de ce livre, on a comme une jubilation, teintée de nostalgie, de ces pays lointains qu'on ne visitera pas. Ce pourrait être n'importe quel endroit de la planète, mais c'est en France. C'est à se demander comment l'on fait pour caser cette diversité dans cinq cent cinquante deux mille kilomètres carrés.

Bien sûr, ce pays n'est pas toujours à l'échelle humaine. Il est vaste. Sa grandeur fait aussi partie du paysage. Une dizaine de montagnes des Alpes atteignent les quatre mille mètres. L'étang de Thau ou la Camargue s'étendent à perte de vue, ouverts sur la Méditerranée. C'est le royaume des flamants roses, des sternes, des chevaux qui galopent en liberté et des élevages de taureaux. Les daims s'ébattent dans la forêt de Senlis, les loups dans le Mercantour, les castors et ragondins sur les bords de la Loire, les aigles et les ours dans les Pyrénées. Près de Crau, le désert de cailloux ne déparerait pas dans le Néguev, les Orgues de l'Ile sur Têt ont des allures de Hoggar, et la pointe du Raz pourrait tout aussi bien figurer sur une carte de la Terre de Feu au sud du Chili.

Nous avons tellement pris l'habitude de sauter dans un avion pour se retrouver à l'autre bout du monde, que nous avons oublié qu'il y a chez nous l'équivalent, voire même mieux. La même douceur, la même force de la nature, la même grandeur, la même beauté.

Quoi d'étonnant à ce que la France entre terre et ciel réunisse toutes les caractéristiques de la planète ? Après tout elle a gardé du temps où elle était le deuxième empire colonial du monde, des poussières d'îles sous les tropiques, la Guadeloupe, la Réunion, les îles en Polynésie... comme des morceaux de paradis.

Tout ça nous donne envie de survoler ces coins de France, no man's land peuplé de couchers de soleils habité par le vent, d'étendues d'eaux marines ou turquoises, de beauté à l'état sauvage dont attestent ces photos. Pas uniquement dans nos sept parcs nationaux, mais sur tout le territoire. C'est l'art de ces photographes de saisir la courbure de la terre de France dans une aube naissante, une petite île sur la Loire au zénith, un volcan de la chaîne du Puy comme un pachyderme endormi, une montagne comme un écrin couvert d'or ou l'océan des côtes d'Armor, comme brossé de gris acier. Parfois un détail nous rappelle l'échelle humaine, la réalité de ces morceaux de France : une maison au bord d'un lac, un barrage comme un trait d'union, une barque sur un étang, quelques voiliers dans une calanque, un phare au bout du monde à la Guadeloupe. A d'autres moments ces clichés, un volcan en éruption, le mouvement d'une marée, nous montrent que la nature, même en France, n'est pas qu'un géant endormi. Et que son cœur bat encore plus fort, vu d'en haut.

Première Partie

Mont Blanc et Grandes Jorasses, 428 mètres (p 20-21)
Histoire d'hommes. La 1ère ascension eut lieu en juin 1865, emmenée par Edouard Whymper, reporter-dessinateur anglais et alpiniste de grand caractère. La conquête catastrophique du Cervin le 14 juillet 1865, qu'il entreprit un mois plus tard, fut la dernière de ses grandes premières alpines dans le Mont Blanc. Whymper avait alors 25 ans.

Barrage de Rosalend Beaufortin (p 23)
Prouesse technique. Massif cristallin des hautes Alpes de Savoie, situé au sud du Mont Blanc, entre la Tarentaise et le Doron. Le potentiel hydroélectrique du Beaufortin a été mis en valeur dès le début du siècle par les entreprises de la vallée de l'Arly avec la construction de prises d'eau et de barrages sur la rivière Doron. Le complexe est formé de trois réservoirs, alimentés par une trentaine de prises d'eau. 45 km de galeries, un dénivelé de 1 100 m, six turbines et 550 000 Kw sur le réseau national.

Le Guilvinec (p 25)
Mer courage. Premier port français de pêche artisanale. Ancien site mégalithique et gaulois, le Guilvinec s'est constitué autour de la pêche. Le « quartier maritime » du Guilvinec rassemble les ports du pays bigouden et le port de Bénodet. C'est le plus important quartier maritime de France, tant en nombre de marins qu'en valeur de la pêche débarquée sous criée.

Roussillon, Vaucluse (p 27)
Ocre. Il y a 230 millions d'années, la Provence est recouverte par la mer. Des sédiments s'accumulent au fond des eaux et se transforment en calcaire qui avec le temps se recouvre d'argile grise. Lorsque la mer se retire, les sables sont lessivés par les pluies diluviennes et transformés en ocre. L'oxydation donnera à ce mélange d'argile et de sable toute sa palette de nuances (plusieurs dizaines de teintes au total). A Roussillon, l'ocre est partout : dans les paysages, sur les murs des maisons et sur le sentier dit « des ocres » qui conduit à la « Chaussée des Géants ».

Ile de Porquerolles (p 28-29)
Autre idée du bonheur. Un superbe village et une ligne de forts le long de ses côtes, de falaises, de plages. En plein centre du village, il y a une église de style mexicain entourée d'Eucalyptus géants. Le Conservatoire Botanique qui a pour mission de protéger et sauvegarder les diversités biologiques menacées par l'agriculture possède une banque de graines de 1 000 variétés menacées de la région méditerranéenne.

En Tarentaise (p 30-31)
Travail de Romain et sports d'hiver. Ancien lieu de passage de la voie romaine du Petit Saint-Bernard, la Tarentaise, villégiature privilégiée des amateurs de sports d'hiver, recèle encore quelques coins secrets.

Les orgues de Île sur Têt (p 32-33)
Nature sculptée. Sur la route de Perpignan à Andorre, non loin de Prades, on peut voir ces étranges falaises constituées de sable aggloméré. Ces concrétions s'érodent de jour en jour et les plus pessimistes pensent qu'elles auront disparu dans une cinquantaine d'années.

Etretat, falaise d'aval (p 34-35)
Sauvage, artistique et mondaine. Alphonse Karr, Guy de Maupassant, Victor Hugo, Alexandre Dumas, Jean Lorrain, André Gide, Samuel Beckett, Maurice Leblanc, père d'Arsène Lupin – Écrivains ; Jacques Offenbach – Musicien ; Gustave Courbet, Signac, Félix Valloton, Matisse, Jean-Baptiste Corot, Eugène Boudin, Eugène Le Poitevin, Eugène Delacroix, Claude Monet – Peintres ; tous ces artistes y vinrent vivre et travailler.

Plage Belle Île (p 36-37)
Lointain. De nombreuses familles acadiennes vinrent s'y réfugier au xxe siècle, quand elles furent chassées par les anglais. Le Gulf Stream passe dans les parages, donnant à l'île son caractère doux et parfois exotique qui tranche sur ce paysage découpé, typique de Bretagne. Ses admirables plages comme celle des Grands Sables et ses ports comme celui de Sauzon attirèrent Monet, Matisse ou Vasarely. Proust vint y écrire tout comme Flaubert.

Volcan Piton de la Fournaise, Réunion (p 38)
Dantesque. Toujours en activité. Après une violente crise sismique de près de 5 heures, la lave est sortie des profondeurs du volcan, le samedi 16 novembre 2002, par quatre failles. Les coulées de lave ont progressé rapidement, profitant de la déclivité des grandes pentes.

Seconde Partie

Bassin d'Arcachon (p 40-41)
Vue sur les marées. Ouvert sur l'Océan Atlantique, adossé à la forêt de pins. Ponctué d'un incessant mouvement de va-et-vient au rythme des marées, le bassin d'Arcachon est un site incomparable. Ici le sable atteint des sommets. La plus grande dune de sable d'Europe, la dune du Pila, s'élève à quelques 110 mètres. Dans le bassin se trouve la fameuse île aux Oiseaux et ses deux maisons sur pilotis, bâties au-dessus de l'eau.

Forêt de pins dans Les Landes (p 42-43)
Senteurs. A l'origine, la région des Landes était un vaste marécage insalubre. La forêt de Gascogne représente plus d'un million d'hectares répartis sur 3 départements de France (la Gironde, les Landes et le Lot-et-Garonne).

Bassin du Doubs, vers Villers le lac (p 44-45)
Chute vertigineuse. Le saut du Doubs, est le premier site naturel de Franche-Comté. Le lac de Chaillexon a été creusé au quaternaire par le glissement d'un glacier dans le massif calcaire jurassien. Il est clos par un barrage naturel façonné accidentellement par une montagne qui a basculé du coté suisse vers le côté français, « la montagne renversée ».

Gironde : Banc d'Arguin (p 46-47)
Refuge. A l'entrée du Bassin d'Arcachon, le Banc d'Arguin est le plus vaste banc de sable du littoral girondin. Ses contours fluctuent en raison des marées. A marée basse, il fait 4 kilomètres de long sur 2 kilomètres de large. Au printemps c'est le refuge de la plus grande colonie de sternes Caugeks d'Europe.

Volcan dans le Cantal (p 48-49)
Endormi. Le Cantal est le plus vaste massif volcanique d'Europe, avec les puys Mary, Violent, Peyre-Arse (1 806 m) et le piton rocheux du Griou. Ce site protégé est le royaume des chouettes, des hiboux moyen et grand duc, de la buse variable, de la bondrée apivore, du faucon crécerelle, du milan noir, du milan royal et du faucon pèlerin.

Lac Servière (p 50-51)
Parfait. Crée par l'explosion d'un volcan, à 1200 m d'altitude, ce lac de cratère de 15 hectares est presque rond. Ses eaux

limpides et fraîches abritent une population de truites et d'ombles chevalier.

Guadeloupe, littoral Petit Havre (p 52-53)
TROPICAL. A 13 km de Pointe-à-Pitre, une petite agglomération sur les collines autour d'une jolie petite plage avec ponton, barques et filets de pêcheurs. Un site qui porte bien son nom.

Puy de Dôme, Chaînes des puys (p 54-55)
AUBE DES TEMPS. Tout commence au tertiaire, lorsque surgissent les chaînes des Alpes et des Pyrénées : le vaste plateau qui recouvre alors l'Auvergne craque et se fend. Le magma en fusion jaillit construisant par phases successives des volcans complexes. Les volcans sont en pleine activité lorsque survient, au quaternaire, une succession de périodes froides ; les régions les plus élevées se couvrent de glaciers qui rabotent les sommets. Entre 95 000 et 6 000 ans av JC, la Terre crache une dernière fois sa colère : ainsi naît la chaîne des Puys : 80 volcans sur 35 km dont le puy de Dôme (1 465 m).

Ilet-du-Gosier, Guadeloupe (p 56-57)
PHARE ET FARNIENTE. Face au bourg du Gosier, l'Ilet. Le phare de l'Ilet du Gosier a une portée de 26 milles (environ 48 km). Son feu brille de 2 éclats rouges toutes les 10 secondes.

Puy de Sancy (p 58)
HAUTEUR. Ce massif, composé de vieux volcans entaillés par les glaciers, possède les plus hauts sommets du Massif Central (1 886 m pour le puy de Sancy). Avec ses reliefs accentués, il prend parfois des allures de montagne alpine.

Troisième Partie

Archipel de Chausey, Manche (p 60-61)
RARE. Au large du Cotentin, Chausey, archipel de granite et de sable qui clot la Baie du Mont Saint -Michel, compte 365 îlots, 52 îles, et les plus fortes marées d'Europe. C'est le royaume des grands cormorans, la plus grande colonie en France, des Fous de Bassan, des petits Pingouins ainsi que des canards de Tadorne, espèce rare qui niche en terrier !

Lacs Des Bouillouses, vus du sommet du Carlit (p 62)
RÉSERVOIR DE FRAÎCHEUR. 13 millions de m^3, à 2 000 m et plus d'altitude ! Les Bouillouses se situent dans le massif du Carlit entre Font Romeu et les Angles, dans les Pyrénées Orientales. Elles sont dominées par les pics du Carlit, du Roc d'Aude, du Péric et du Petit Péric.

Camaret, presqu'île de Crozon (p 63)
A LA POINTE. Du port de Camaret à la pointe de Pen-Hir, la côte offre un panorama magnifique sur la mer d'Iroise : les falaises de la pointe de Pen-Hir, les Tas de Pois, les pointes du Toulinguet et du Grand Gouin. Sur ces promontoires balayés par le vent du large, une végétation naine de bruyères a colonisé la lande. Sur les rochers et îlots, de nombreuses colonies d'oiseaux marins.

Dunes de sable en Camargue (p 64-65)
PARADISIAQUE. Marécages noyés d'eaux, taureaux et chevaux, et rendez vous des gitans aux Saintes-Maries de la Mer.

Forêt des Landes vers Lalenne, Exean (p 66-67)
ESSENCES DE PINS. Une partie de cette forêt existait déjà bien avant la loi de Napoléon III de 1857. On y pratiquait le gemmage de l'écorce, dont on extrait entre autre, l'essence de térébenthine et la colophane. La Forêt de Gascogne est le plus grand massif forestier d'Europe.

Puy Gros, Puy de Dôme (p 68-69)
SOMMEIL. Des volcans encore, aux pentes rondes et verdoyantes.

Parc National des Pyrénées, vallée d'Aspe (p 70-71)
ECOLOGIQUE. Se déroulant sur près de 40 km le long du Gave d'Aspe, d'Escot (320 m d'altitude) au col du Somport, à la frontière espagnole (1 640 m d'altitude), la Vallée d'Aspe. Ce parc est le dernier refuge de l'ours brun.

Calanque de Port-Pin, Cassis (p 72-73)
HISTOIRE D'EAUX. Le littoral a connu plusieurs fluctuations. La Mer s'est retirée. Le creusement des vallées s'est poursuivi au rythme de cette régression marine, tandis que les réseaux creusés par l'eau souterraine s'enfonçaient de plus en plus profondément dans l'épaisseur des calcaires. Il y a 10 000 ans, le niveau de la mer est remonté jusqu'au niveau actuel ; et la mer a réoccupé les anciennes vallées. Elle a envahi les réseaux souterrains obligeant l'eau douce à se mettre en équilibre avec elle. D'où la résurgence sous-marine de Port-Miou qui, avec des débits de crue supérieure à 100 m^3/s, évacue une eau douce en pleine mer, entre 50 et 100 mètres de profondeur.

Indre et Loire, la Loire (p 74-75)
SA MAJESTÉ. Jamais vu un fleuve plus capricieux. Il prend sa source au pied du Mont Gerbier des Joncs (1 550 m) dans le Massif Central. Puis il traverse la plaine du Puy et le Bassin du Forez. Il reçoit les eaux de la Nièvre, puis celles de l'Allier. Passe à Sancerre, célèbre pour son vin, atteint Briare avec son célèbre Canal. Puis, un coude dont le sommet est Orléans. A partir de là, la Loire change de direction. Cap vers le sud ouest. Beaugency, le château de Ménars, rendu célèbre par la Marquise de Pompadour et Blois. A partir de là, c'est la Vallée des Rois. Que de châteaux ! Puis Tours, Saumur, Angers, Nantes où le fleuve se démultiplie, et l'estuaire de Saint Nazaire. Du cœur du pays, en suivant le fleuve le plus long, nous sommes passés de la France profonde à l'empire colonial. La Loire a un débit irrégulier, faible en été, mais qui peut aussi provoquer des crues terribles.

Tetiaroa, Polynésie française (p 76-77)
HOLLYWOODIEN. Tetiaroa, atoll de treize motus (îles), à environ 40 km de Tahiti, appartient à l'acteur Marlon Brando, depuis 1966. Il y a construit un petit hôtel et une piste d'atterrissage. Autrefois centre de résidence de la famille royale, cet ensemble de récifs de corail de plus de 25 km de diamètre, est le royaume des oiseaux (sternes, fous, frégates) venant pondre leurs oeufs sur les plages, des tortues géantes et des raies.

Abbaye de Fontenay (p 78-79)
TORTUEUSE. La Saône près de Montbard et de l'abbaye de Fontenay, fondée en 1119 par Saint Bernard. L'abbaye bourguignonne, à l'architecture dépouillée, avec son église, son cloître, son réfectoire, son dortoir, sa boulangerie et sa forge, illustre l'idéal d'autarcie des premières communautés de moines cisterciens.

Baie d'Audierne (p 80)
TRAIT D'UNION. Depuis la nuit des temps, Audierne a servi de trait d'union entre le Cap Sizun et la mer d'Iroise. Ce port de pêche, à l'embouchure du Goyen, à une portée du Raz de Sein, était aussi un port de commerce très actif sur les voies maritimes de l'Ouest de l'Europe. La ville s'est construite en petites rues étroites et pittoresques à l'arrière du quai qui enserre l'anse du port.

Page 20-21 - *Grandes Jorasses (4 208 m) dans le massif du Mont Blanc (74). La 1ère ascension eut lieu en juin 1865.*

Page 23 - *Barrage de Rosalend Beaufortin (73), au sud du Mont Blanc, formé de trois réservoirs, alimentés par une trentaine de prises d'eau.*

Page 25 - *Le Guilvinec (29). Le plus important quartier maritime de France, tant en nombre de marins qu'en valeur de la pêche débarquée sous criée.*

Page 27 - *Roussillon (84). L'oxydation a donné à ce mélange d'argile et de sable cette fameuse couleur ocre.*

Page 28-29 - *Ile de Porquerolles (83). Au large de Saint-Tropez, Porquerolles s'étend sur 1 250 hectares.*

Page 30-31 - *En Tarentaise (73). Ancien lieu de passage de la voie romaine au col du Petit Saint-Bernard dans les Alpes.*

Page 32-33 - *Les orgues de Île sur Têt (66). Sur la route de Perpignan à Andorre, non loin de Prades.*

Page 34-35 - *Etretat, falaise d'aval (76). Station balnéaire en Normandie, près du Havre.*

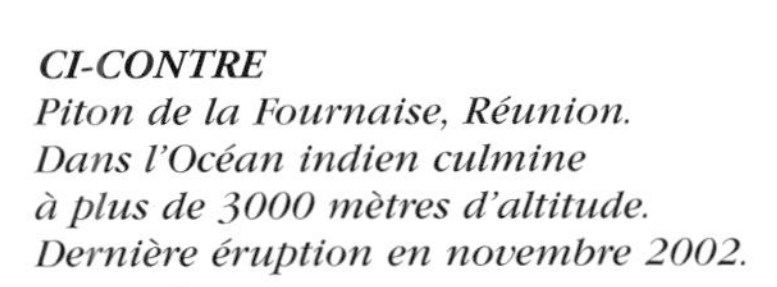

CI-CONTRE
Piton de la Fournaise, Réunion. Dans l'Océan indien culmine à plus de 3000 mètres d'altitude. Dernière éruption en novembre 2002.

Page 36-37 - *Belle Île (56). La plus grande des îles bretonnes, située à une quinzaine de kilomètres du continent.*

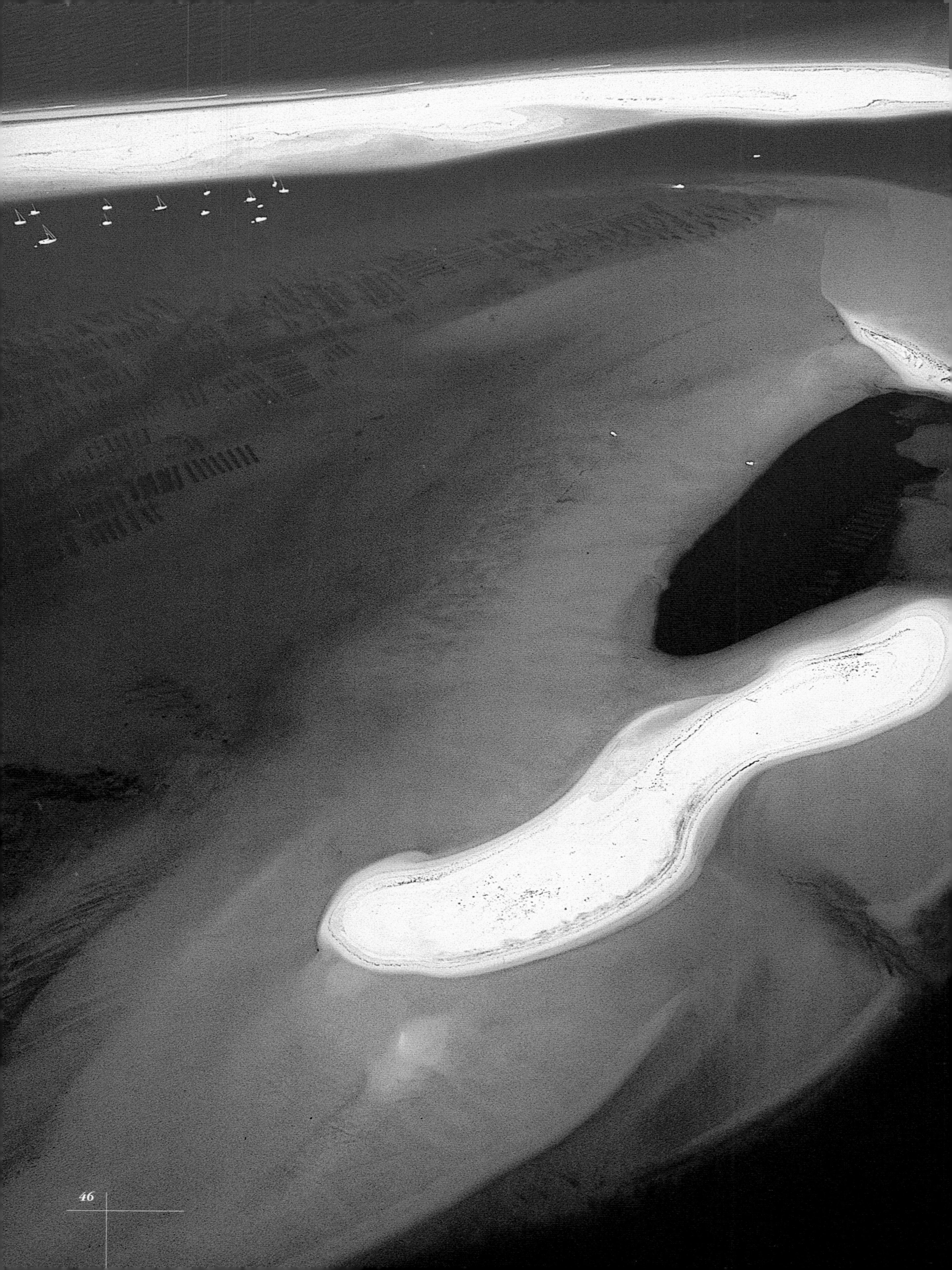

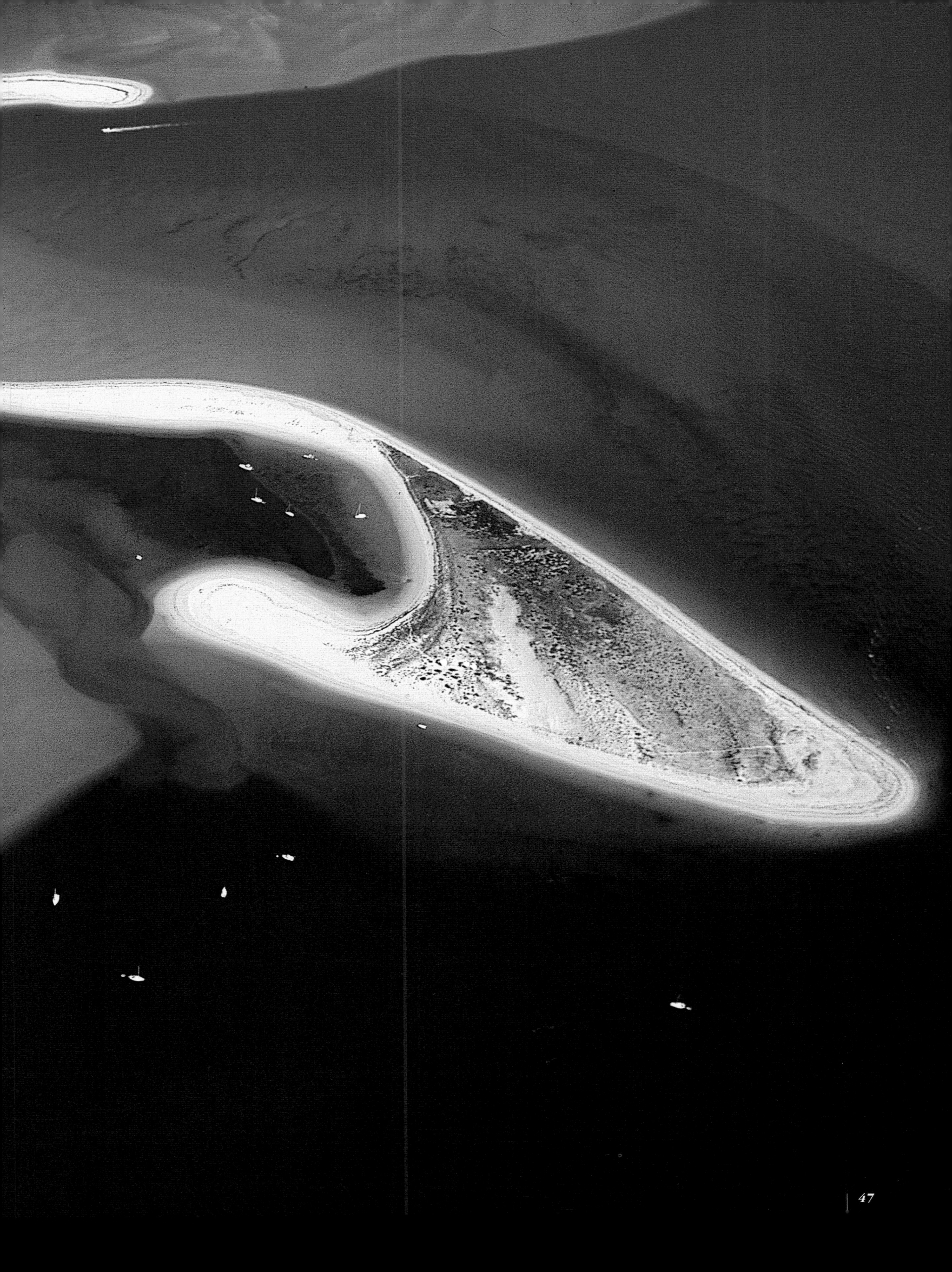

Page 40-41 - Bassin d'Arcachon (33). La plus grande dune de sable d'Europe, la dune du Pila s'élève à quelques 110 mètres. Réserve naturelle.

Page 42-43 - Forêt de pins dans Les Landes (40). A l'origine la région des landes était un vaste marécage insalubre. La forêt a été plantée entre le XVIIIe et le XIXe siècle pour fixer les dunes.

Page 44-45 - Bassin du Doubs, vers Villers le lac (25). Le lac de Chaillexon a été creusé par le glissement d'un glacier et clos par un barrage naturel façonné par une montagne renversée.

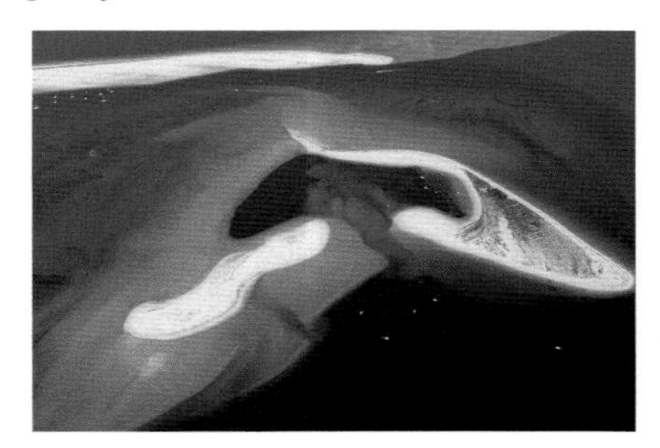

Page 46-47 - Banc d'Arguin (33). A l'entrée du Bassin d'Arcachon, le plus vaste banc de sable du littoral girondin.

Page 48-49 - Volcan dans le Cantal (15). Le plus vaste massif volcanique d'Europe, le Cantal est un site protégé.

Page 50-51 - Lac Servière (63). Lac de cratère, crée par l'explosion d'un volcan, à 1 200 mètres d'altitude.

Page 52-53 - Guadeloupe. littoral Petit havre. A 13 Km de Pointe-à-Pitre, une petite agglomération autour d'une jolie petite plage.

Page 54-55 - Puy de Dôme, Chaînes des puys (63). 80 volcans sur 35 kilomètres dont le puy de Dôme (1 465 m).

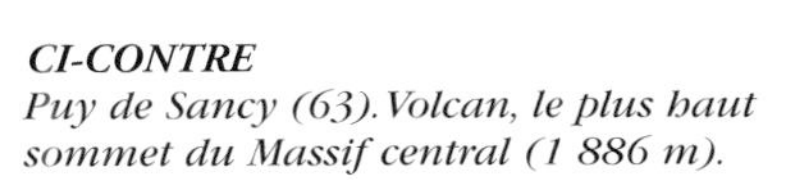

CI-CONTRE
Puy de Sancy (63). Volcan, le plus haut sommet du Massif central (1 886 m).

Page 56-57 - Ilet-du-Gosier, Guadeloupe. Le phare de l'Ilet du Gosier a une portée de 48 kilomètres.

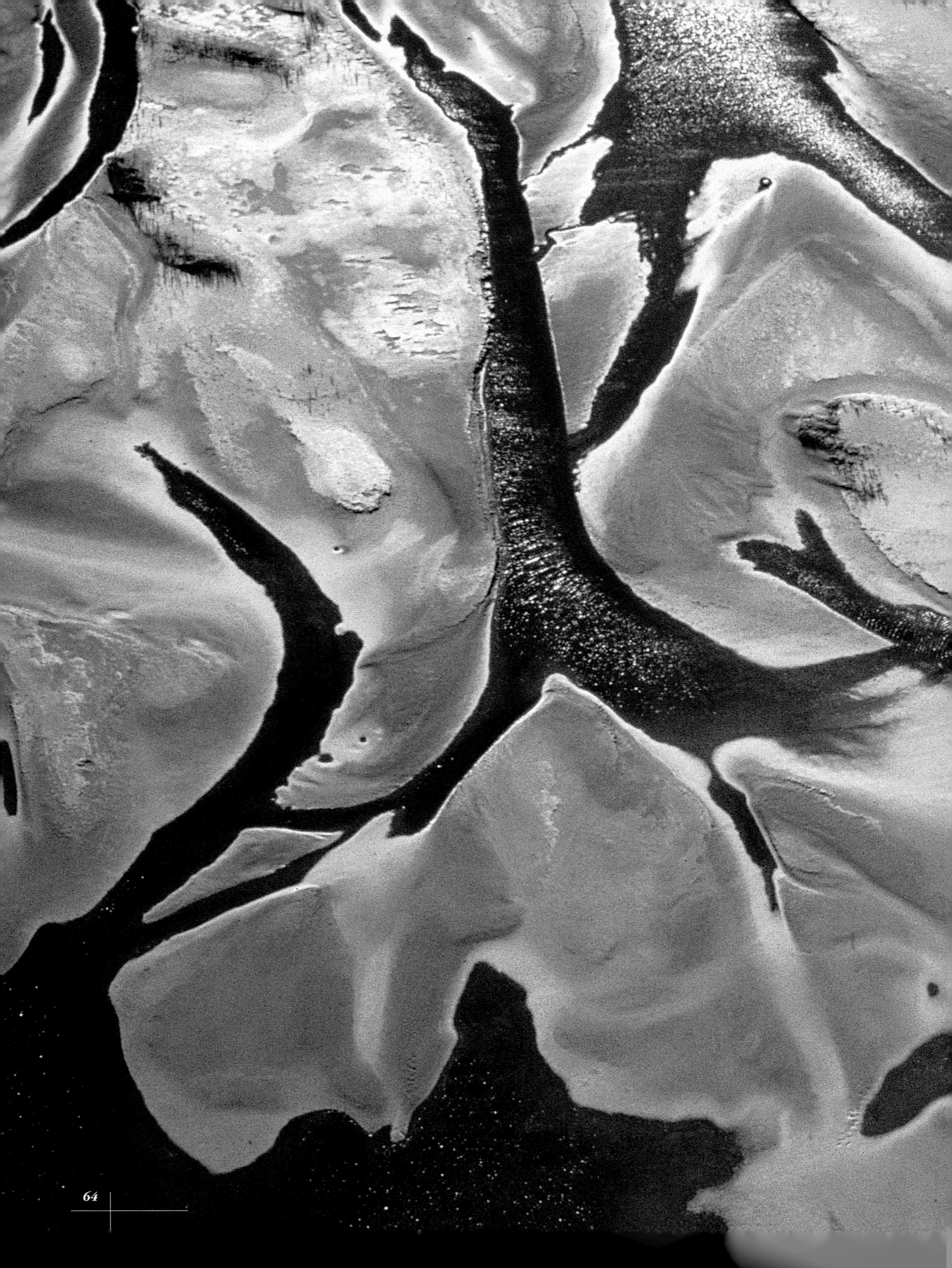

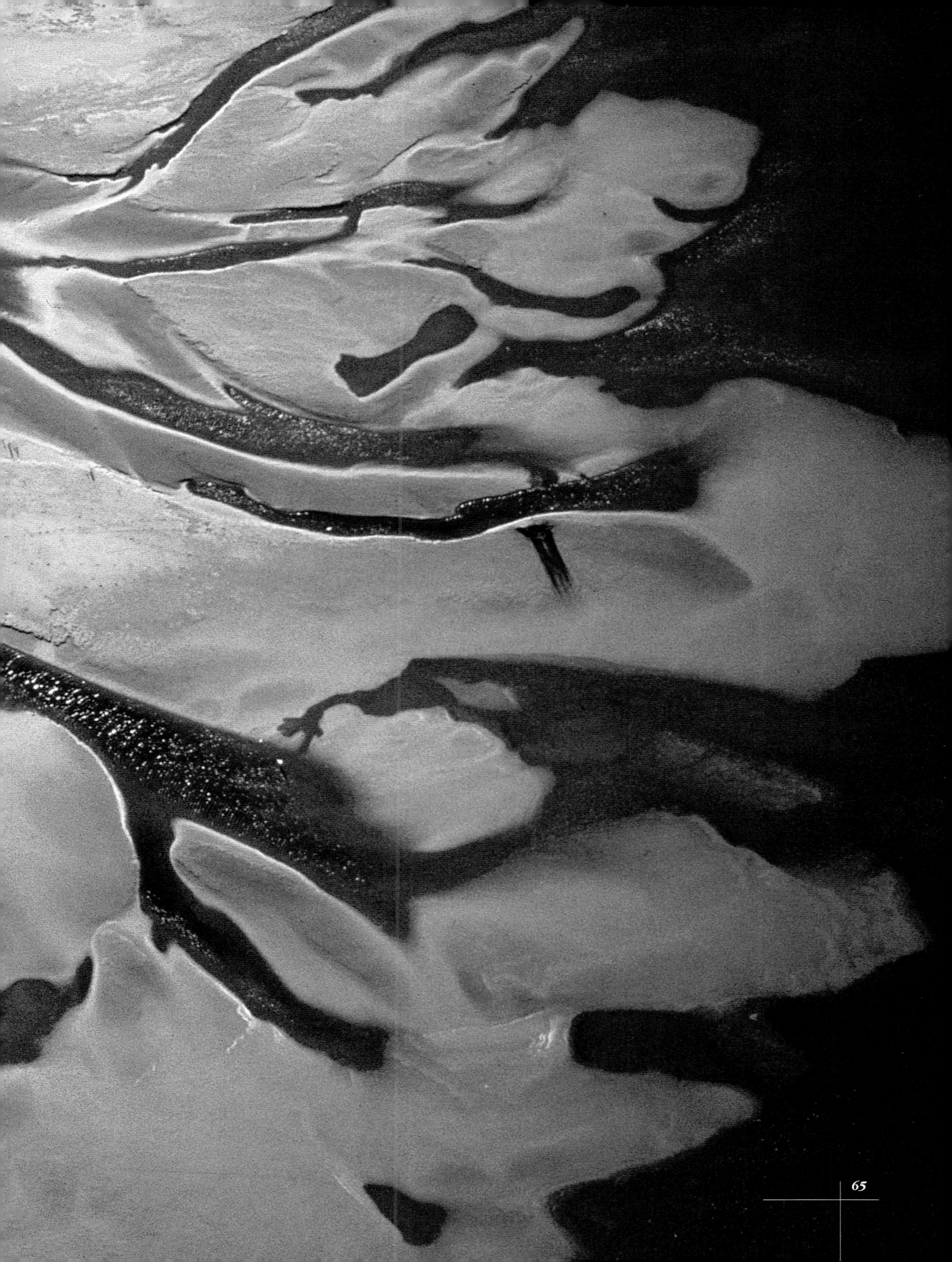

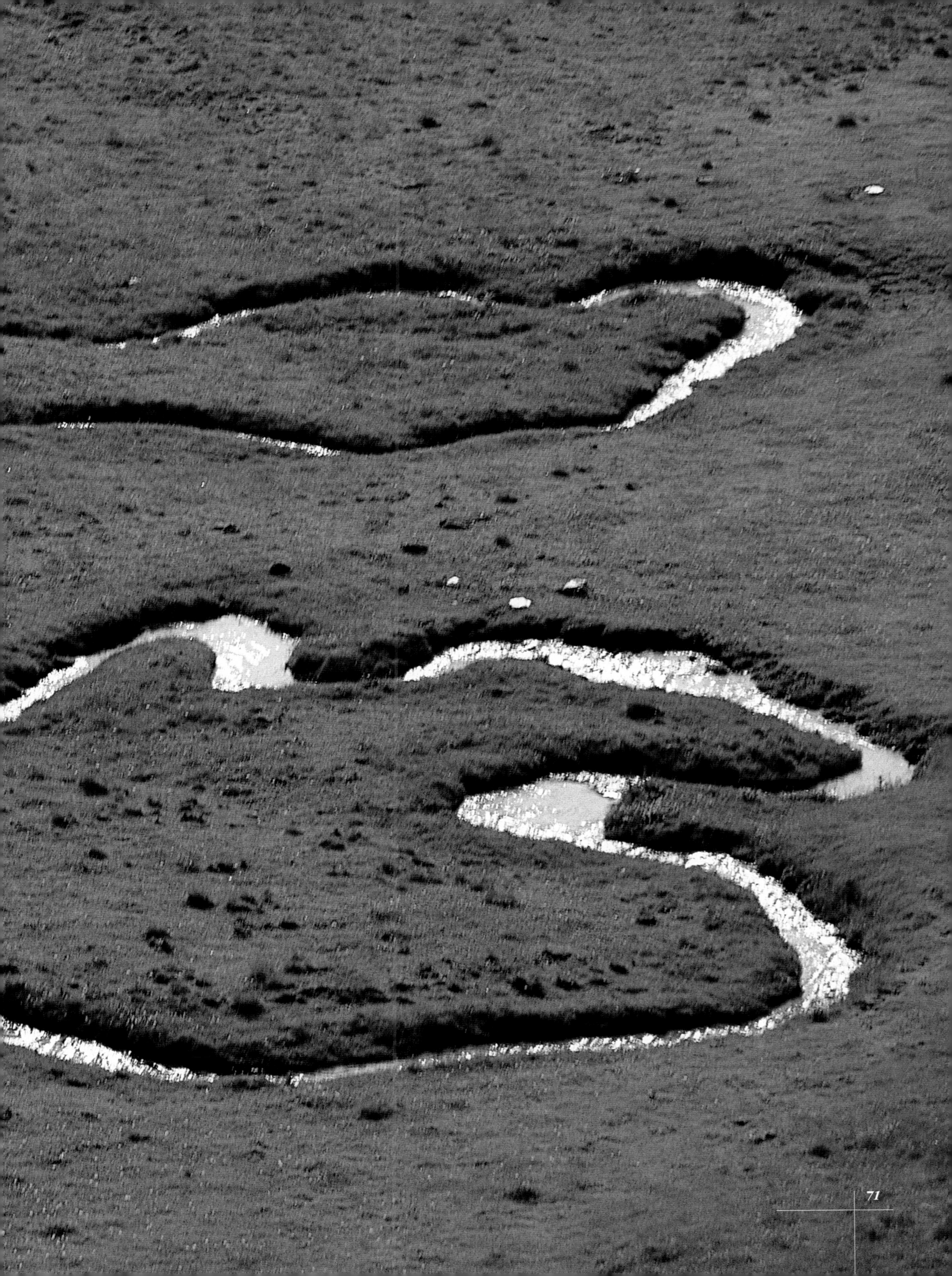

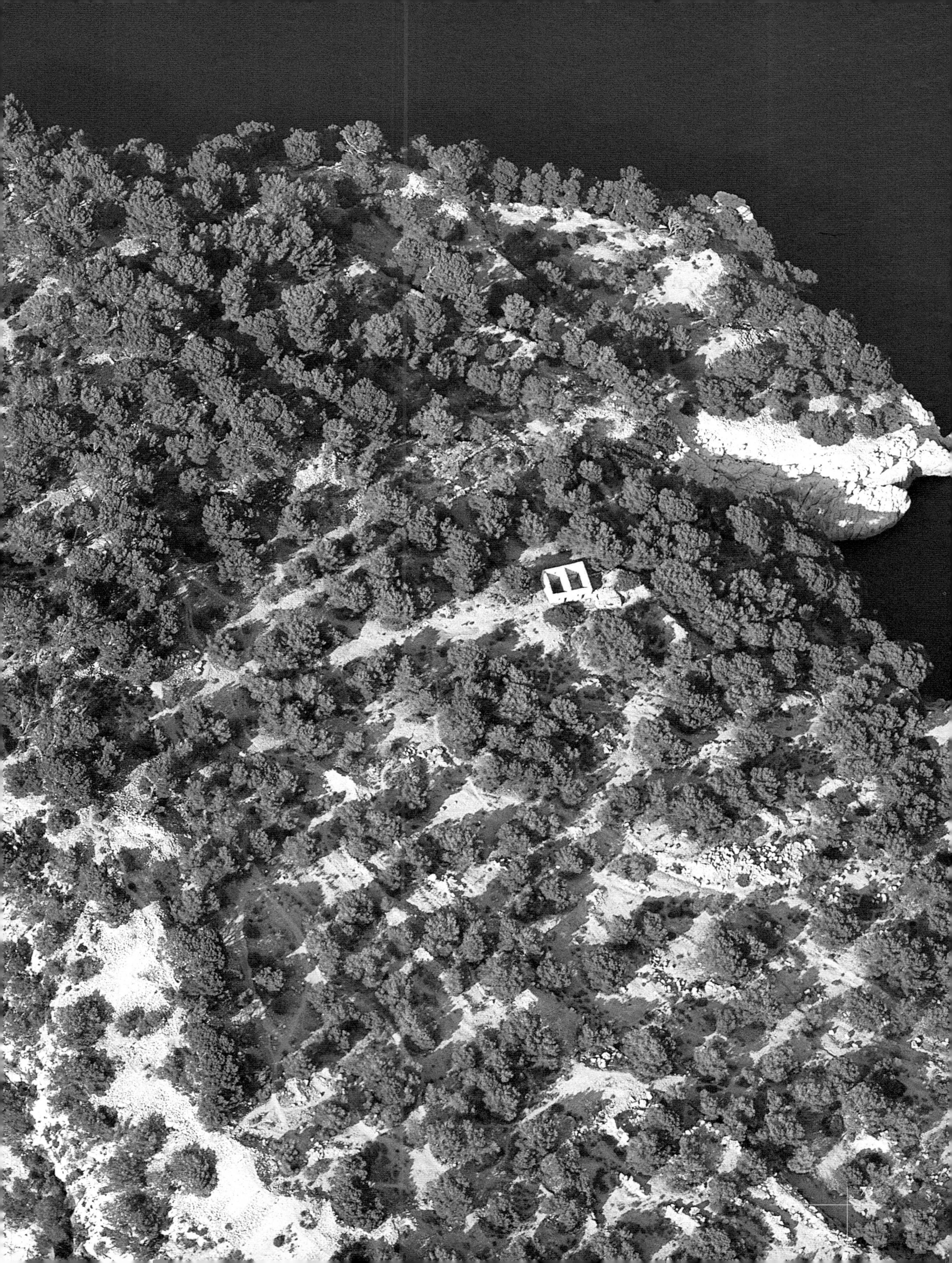

Page 60-61 *- Archipel de Chausey (50). Au large du Cotentin, clôt la Baie du Mont Saint-Michel, 365 îlots, 52 îles, et les plus fortes marées d' Europe.*

Page 62 *- Lacs Des Bouillouses, vu du sommet du Carlit (66).*
Page 63 *- Camaret (29). Presqu'île de Crozon.*

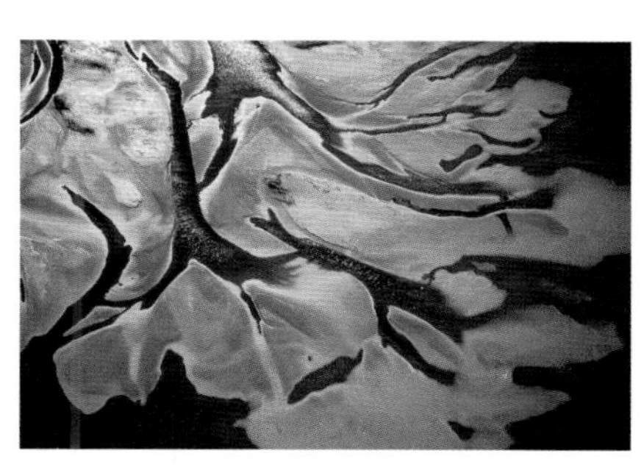

Page 64-65 *- Dunes de sable en Camargue (13). Réserve naturelle entre les deux principaux bras du delta du Rhône.*

Page 66-67 *- Forêt des Landes vers Lalenne-Exean (40). Le plus grand massif forestier d'Europe.*

Page 68-69 *- Puy Gros (63). A 1 428 mètres, domine toute la vallée du Mont Dore.*

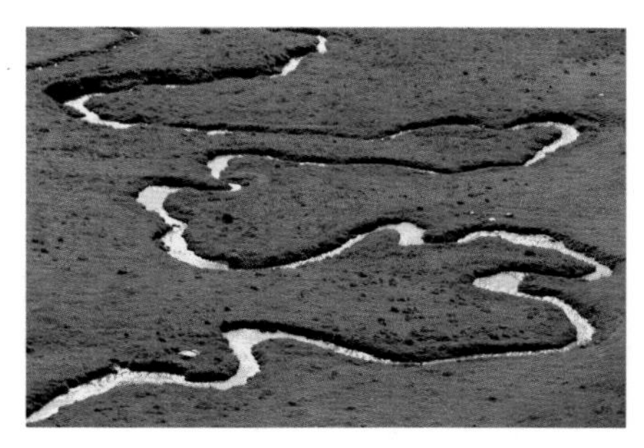

Page 70-71 *- Parc National des Pyrénées (64), vallée d'Aspe. Près de 40 kilomètres, 250 000 ha, au sud de Tarbes et de Pau, le long de la frontière espagnole qui monte à 1 640 mètres d'altitude.*

Page 72-73 *- Calanque de Port-Pin, Cassis (13). Une des trois calanques de Cassis, près de Marseille*

Page 74-75 *- La Loire (37). La partie la plus majestueuse de la Loire, en Touraine.*

Page 76-77 *- Tetiaroa, Polynésie française. Atoll de treize îles, à 40 kilomètres de Tahiti, appartenant à l'acteur Marlon Brando.*

Page 78-79 *- Abbaye de Fontenay (21). La Saône près de Montbard et de l'abbaye de Fontenay, en Bourgogne.*

CI-CONTRE *- Baie d'Audierne. Port de pêche, à l'embouchure du Goyen (29), à une portée du Raz de Sein.*

la TERRE et L'HOMME

Vue du ciel, cette nature nous confie un secret, celui du temps partagé par les générations qui l'ont façonné. Les paysans en France ont gardé certaines valeurs, une éthique, et même un sens de l'esthétique qui saute aux yeux vu d'en haut. Quoi de plus émouvant que ces rangées de vignes en Charente, frissonnantes sous le vent ? Quoi de plus graphique que ces bassins ostréicoles, ces parcs à huîtres, ces salines ? Quoi de plus coloré, que ces champs de coquelicots ou de genêts, ces marais salants sous le soleil couchant ? Et toujours comme pour marquer la chaleur de cette présence familière, un chalet sous la neige, une vieille ferme, ou les bâtiments d'une grande exploitation.

La France est le premier pays agricole d'Europe de l'ouest, avec plus de la moitié de son territoire cultivé. Et sur ces clichés, cela se voit. C'est un équilibre subtil, parfois fragile qui a été instauré entre la nature et l'homme. Un équilibre qui vit, et qui donne à ces photos une sorte de mouvement, exactement comme le peintre dans son tableau doit traduire une émotion intérieure. Ainsi le travail des hommes et de la nature, vu d'en haut, devient une œuvre d'art à l'air libre. Un bassin ostréicole est comme une peinture abstraite, un champ de lavande, comme une giclée de couleur indigo, les sables de l'Île sur Têt avec la ville au loin, comme le rêve initiatique d'un étrange panorama.

Mais qui dit équilibre dit diversité, et c'est bien là ce que nous montre ce chapitre. A chaque région sa spécialité, à chaque terroir son morceau de vie, tout entier dans ses produits. Ce que l'homme a fait en France, depuis des siècles, est à la mesure de ses particularismes qui sont aussi une richesse.

Parfois l'ombre portée d'une ferme dans le Minervois, d'un camion sur la piste de Fos, ou des balles de chaumes dans le pays de Bray, nous rappellent que derrière ce graphisme soigné, il y a une activité fébrile. Ceux des hommes qui construisent par leur action quotidienne ce pays. En s'approchant, le contact entre l'homme et la nature se fait plus précis, comme si l'une et l'autre depuis l'aube des temps, avaient trouvé leur place, en un combat toujours recommencé. Les champs partent à l'assaut des montagnes d'Auvergne, les vignobles de Listel se nichent dans les coteaux surélevés des salines, le sel se fige dans les prés de la baie du Mont Saint Michel en une harmonie sans cesse recommencée. A feuilleter ces pages, à contempler ces photos entre terre et ciel, on dirait que toutes les couleurs, les formes, les lignes se sont données rendez-vous en France, patiemment ordonnées par la main de l'homme, de la nature et du temps. Et les chemins d'accès des étangs, des pointes d'une presqu'île dans un lac de montagne, dans les vignes ou les rizières, sont comme les veines saillantes qui battent sous la peau d'un pays.

Première Partie

Cultures en Limagne (p 82-83)
CARRÉ DE COULEURS. La Limagne, plaine céréalière, de tabac, d'oléagineux et territoire des vignes, plat pays, nous fait découvrir l'Auvergne sous un autre aspect. Vaste bassin qui s'étend, du sud au nord, sur plus de 100 kilomètres, depuis les derniers contreforts volcaniques jusqu'aux abords du Bourbonnais.

Marais de l'Ile d'Olonne (p 85)
BLEU ATLANTIQUE. L'Ile d'Olonne, commune située à quelques kilomètres au nord des Sables d'Olonne, n'est pas une île dans la mer, mais une « île près de la mer ». Ici, des marais salants ont rendez-vous avec tous les tons du bleu.

Moutons de prés salés dans la baie du Mont St-Michel (p 87)
VERT VIF. Les champs près de la baie sont parsemés d'étendues d'eaux qui se mélangent à la végétation.

Vieille ferme dans les vignobles du Minervois, Azille (p 89)
BRUN ROUGE. C'est la couleur des vignes du Minervois, vins à la robe brillante, limpide, aux reflets pourpre profond, au nez intense et complexe, poivré et épicé, avec des notes de fumé, caramel, à la bouche franche, toute en longueur, et aux arômes de fruits rouges persistants.

Terminal de Fos (p 90-91)
ROUGE TERRE. Le plus grand port industriel de France. Fos sur Mer fût créé à partir de 1965 entre la Camargue et la Côte Bleue. La ville tire son nom des Fosses Mariennes, canal creusé à l'embouchure du Rhône par les légions de Marius en 102 av JC. Fos a été jusque dans les années 60 un petit village vivant de la pêche, de l'agriculture et sa seule industrie était à cette époque fondée sur le sel.

Vignes en terrasse au sud de Bédarieux (p 92-93)
JAUNE MUSCAT. La principale richesse de Bédarieux réside sans aucun doute dans son extraordinaire environnement naturel et sa simplicité qui associent paysages de montagne, torrents, cascades, rivières mais aussi vignobles de coteaux, comme notamment le Muscat, au parfum musqué.

Salin-de-Giraud, évacuation de l'eau de Mai (p 94-95)
BLANC CASSÉ. Salin de Giraud est né en 1856, du projet industriel de Henri Merle, fondateur de Péchiney, pour satisfaire les besoins croissants de l'industrie en chlore et en soude obtenus par l'électrolyse du sel.

Plantations d'oliviers à Rivesaltes (p 96-97)
VERT OLIVE. On connaît Rivesaltes pour ses vins. En Roussillon, l'olive a toujours fait partie de la vie. C'est l'or vert du pays catalan.

Marennes, ostréicultures (p 98-99)
VERT COQUILLE. Juste en face de l'île d'Oléron s'étend le pays Marennais. Marennes, capitale de l'Huître, pays des « Claires », anciens casiers de marais salants, où l'on met à engraisser et verdir les fameuses huîtres de Marennes labellisées aujourd'hui sous le nom de « Marennes d'Oléron ».

Ostréiculture (p 100)
GRIS ACIER. Les huîtres, une fois détroquées, triées par tailles, sont remises en mer. Elles prennent toute leur maturité, et d'une région à une autre, changent de goût, en fonction de leur terroir, mais pas de couleur.

Seconde Partie

Rizières en Camargue (p 102-103)
DELTA. Là où se mélangent les eaux, là où l'horizon a pour seule limite sa propre monotonie, sa seule régularité, Il y a des rizières, comme en Camargue. Près du Sambuc, petit village de 200 habitants sur la route qui mène à la plage d'Arles.

Camargue, brûlage de chaume (p 104-105)
CYCLES. Après la moisson des blés, on brûle le chaume sur pieds, pour régénérer les sols.

Salins du midi, vignoble Listel (p 106-107)
BANDES DE TERRE. On les appelle vins de l'été, les gris de Listel, les célèbres Côtes de Provence. Autour des vignobles de Listel, les étendues d'eaux salines de la Compagnie des Salins du Midi qui produit le sel.

Pommes, Charleval, Vallée de la Durance (p 108-109) (Bouches du Rhône)
LARGES STRIES. Avec le Luberon pour décor et la Durance pour rivage, Charleval se tient à la frontière des Bouches du Rhône et du Vaucluse.

Parc à Huîtres, bassin de Thau (p 110-111)
BLEU LAGON. Parfois le vent se lève en véritables tempêtes sur l'étang de Thau. Le reste du temps les anciennes salines miroitent au levant, contre l'étroit cordon littoral des vignobles de Listel. Du vin et des huîtres, une des clés de l'harmonie languedocienne.

Campagne du pays de Bray (p 112-113)
TERRES ET CHAUMES. Le pays de Bray est situé dans l'Oise, aux confins de la Picardie et de la Normandie. Délimité par la Manche, la Basse-Seine et la vallée de la Bresle, il est surtout connu pour son imposant front de mer. Pays de craie au bord des falaises, pays de foins à l'intérieur. Immensité et ciel vaporeux.

Charente Maritime, conchyliculture (p 114-115)
VERT CÉLADON. Qu'est-ce que la conchyliculture ? L'élevage des huîtres-ostréiculture et des moules-mytiliculture. Le tout est vert et lumineux.

Vignobles du Minervois, Azille (p 116-117)
VIEUX TERROIR. Tire son nom de la petite cité de Minerve, d'origine romaine. L'un des plus anciens vignobles d'Europe, le Minervois enfante des vins de grande qualité, aptes au vieillissement.

Ostréiculture du bassin de Thau (p 118-119)
MARINS ET PAYSANS. Les conchyliculteurs sont, dit-on, « les paysans de la mer ». Les concessions qui leur sont attribuées sont leurs prairies et les barques à fond plat, leurs tracteurs.

Vendanges à Chablis (p 120)
NECTAR. L'un des plus anciens vignobles de France. Au XIIe siècle, les moines de Citeaux, cultivaient déjà cette vigne, sur les marnes calcaires et les fossiles d'huîtres. Des blancs fruités, jamais agressifs, à la belle robe jaune, or et vert pâle.

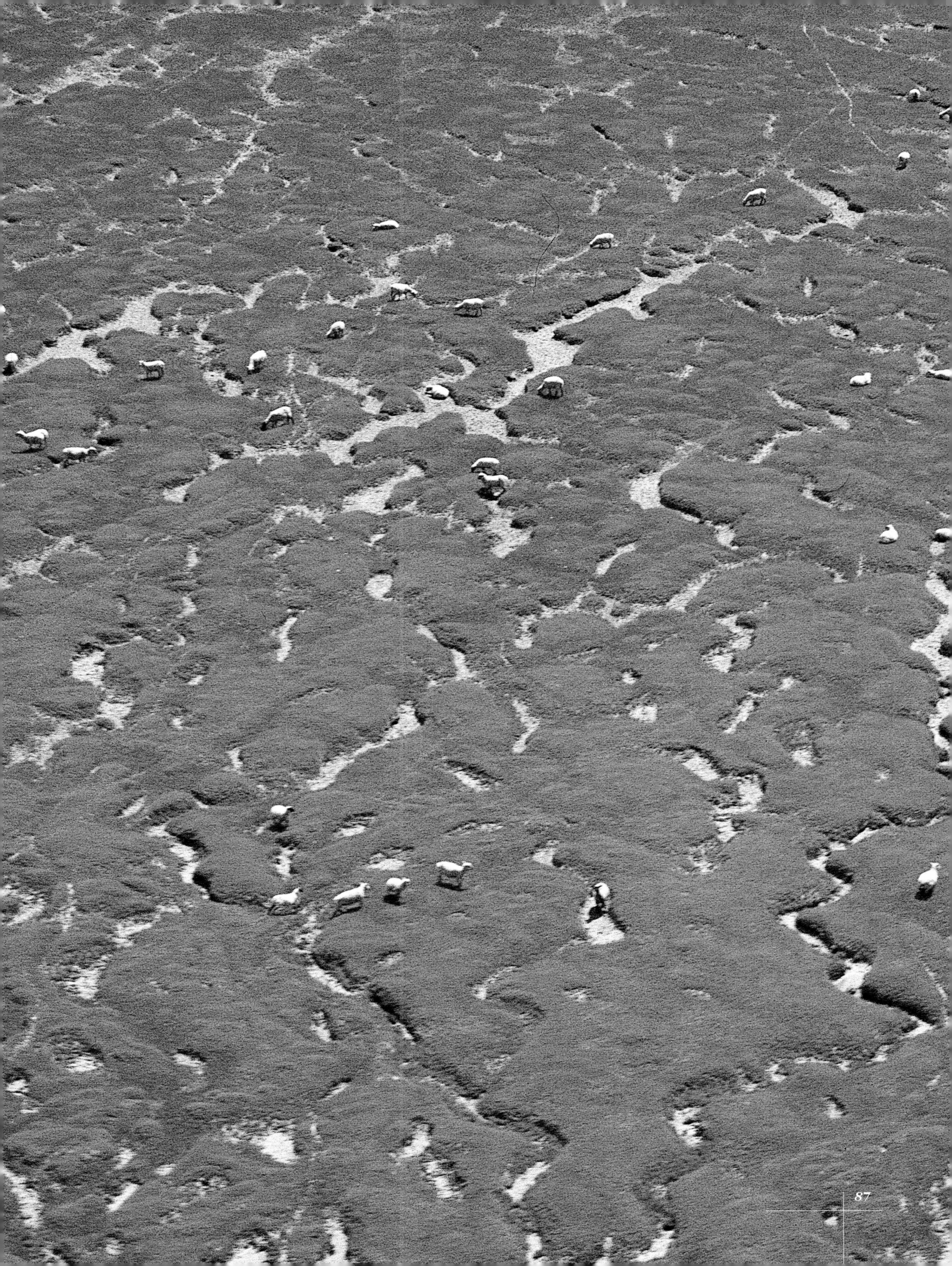

Troisième Partie

Rizières de Camargue (p 122-123)
CHEMINS SUR L'EAU. Etangs, rizières, un monde à part grandeur nature en vert et blanc. Version littéraire, pour Jean Giono, « sur ces vastes espaces plats, l'eau circule à son gré. Elle n'est plus sollicitée par la pente et la pesanteur, mais, semble-t-il, par un désir. Il faut s'éblouir pour distinguer le frisson de ses mouvements ». Des mouvements qui s'expriment aussi au son des guitares du flamenco. Version lacustre d'un paradis de chevaux, de sel, et de riz.

Bouches du Rhône, salines en Camargue (p 124-125)
ROSE FLAMANT. Le sel encore, régénérant, conservant les aliments, riche en oligo-éléments (magnésium, potassium...), cristal précieux que seul dérange le vol des flamants roses.

Loire Atlantique, marais salant (p 126-127)
ARGILE ET ARDOISE. Comme en écho. Ici il faudrait parler de reflet, cet écho de lumière. Dans les piardes, cuvettes de faible profondeur, la vie comme la couleur est à hauteur d'eau. Tous les tons du gris à l'or en passant par le brun y sont représentés. Et même le blanc du sel du côté de Guérande.

Haute Garonne, vignes (p 128-129)
RAISIN NOIR. Le village de Fronton est l'un des hauts lieux du vignoble toulousain. La Négrette, cépage traditionnel et local de raisin noir, aux arômes de violette, de fruits rouges et de réglisse, donne leur personnalité aux vins du pays Fronton.

Vaucluse, champs de lavande (p 130-131)
CHANT INDIGO. Il sent la lavande et la cigale. Au débouché des gorges de la Nesque ou du Col de la Gabelle apparaît le Pays de Sault. Délicatement ouvragé, strié de minces arêtes de rangées d'arbres, de ruisseaux et de ruches immobiles qui bruissent. La lavande est la plus populaire des plantes aromatiques qui parfument nos bains et nos draps.

Vaucluse, cerisiers en fleurs (p 132-133)
ROUGE CERISE. Le Vaucluse est une zone de production de cerises. Il y a la zone traditionnelle sur les contreforts du Ventoux et le Calavon, et la nouvelle zone de Cavaillon qui est fortement influencée par la culture du pommier. Mais quand ils sont en fleurs, quelque soit le pays, c'est le rose et le blanc qui dominent.

Provence, champs de coquelicots (p 134-135)
SOURIRE VERMILLON. Parfois la France se teinte du rouge coquelicot, comme dans une comptine du XVIIIe siècle popularisée par Mouloudji. « J'ai descendu dans mon jardin pour y cueillir du romarin. Gentil coquelicot mesdames, gentil coquelicot nouveau ». Le rouge tranche sur le jaune des champs de blés, ponctué par les oliviers et les cyprès du côté de Saint Rémy de Provence. La lumière s'en mêle et Vincent Van Gogh en fera un chant, ou au choix 150 toiles.

Forêt du Haut Languedoc, La Salvetat sur Agout (p 136-137)
COULEURS AU CŒUR. La Salvetat sur Agout est le pays des fleurs. On y cultive le bouton d'or, la pensée sauvage, le pissenlit, le myosotis, la pâquerette, le lilas, le bleuet, la jonquille et les gueules de loup. Le genêt est la fleur de la simplicité et des vertus domestiques.

Bouches du Rhône, récoltes d'olives (p 138-139)
BRUN NOYAU. En France, l'olivier est apparu il y a fort longtemps sous sa forme sauvage (plus de 10 000 ans), mais il faut attendre les Grecs et les Phéniciens, vers 500 ans avant JC, pour que sa culture débute dans les régions du sud. Les phocéens l'ont introduit en Gaule, en fondant Marseille. Ainsi la France compte aujourd'hui 15 000 hectares d'oliveraies.

Cerisiers en fleurs, Coustellet, plaine de Cavaillon (p 140)
BLANC FREDONNÉ. Coustellet est une petite agglomération du Vaucluse qui ressemble à un village sans en être un, puisque située sur quatre communes différentes. L'on y cultive des cerises, et l'on y donne la « fête des paniers » au village comme dans une vieille chanson : « Quand nous jouions à la marelle, cerisiers roses et pommiers blancs, j'ai cru mourir d'amour pour elle, en l'embrassant »

Quatrième Partie

L'île sur Têt (p 142-143)
JAUNE SCULPTURAL. Du sable aggloméré comme une sculpture de géants. On dirait un paysage de l'Odyssée d'Homère, et au loin un petit hameau que ne verront jamais les héros de l'antiquité, désormais statufiés.

Lac de Ganguise Laurageais (p 144-145)
CALME PROFOND. La retenue artificielle de l'Estrade forme un magnifique lac de 278 hectares. Construit sur la rivière Ganguise en 1979 et conçu initialement pour l'irrigation agricole, il abrite deux espèces protégées : le Héron cendré et le Martin pêcheur.

Chaîne des puys d'Auvergne (p 146-147)
TROUPEAU IMMUABLE. Si le vent s'amusait à relier les points d'un immense jeu aux quatre coins comme un rébus aérien, il y aurait la chaîne des puys, en Auvergne. Comme un troupeau figé de Mammouths.

Lac de Saint Croix (p 148-149)
DÉCOUPÉ. Le plus vaste des lacs du Verdon. Le plan d'eau s'étend sur environ 10 km de long et 3 km de large, soit une superficie de 2 200 hectares. La « queue » du lac remonte dans les gorges du Verdon à partir du « pont de Galetas » dans la partie nord du lac, entre Aiguines et Moustiers.

Vallée de la Tarentaise (p 150-151)
BLANC IMMACULÉ. A proximité du domaine skiable des Trois Vallées et du parc national de la Vanoise, Moutiers est la capitale historique de la Tarentaise. Moutiers a l'hiver au cœur. La région regorge de chamois, bouquetins, tétras-lyres et marmottes.

Ile d'Yeu (p 152-153)
BLANC BLEU. La Vendée dans l'Atlantique. Exceptionnelle densité de traces et monuments mégalithiques : dolmens, menhirs. Au XIe siècle, un château est construit, mais en bois. Il faut attendre le XIVe siècle pour voir l'apparition du château de pierre. Insula Oya, est constituée de côtes rocheuses découpées, de falaises battues par une mer souvent violente, de grottes, de gouffres marins, de petites anses, de pointes, de landes envahies d'ajoncs sauvages. Mais aussi de grandes plages de sable abritées, et de petites maisons blanches aux volets bleus.

Plaine agricole de Fanjeaux (p 154)
PUZZLE MÉDIÉVAL. Aussi sombre que la montagne noire et la chaîne des Pyrénées au sud, du haut du village de Fanjeaux, le vent souffle sur la cité du Moyen Age qui domine la plaine à 370 mètres d'altitude.

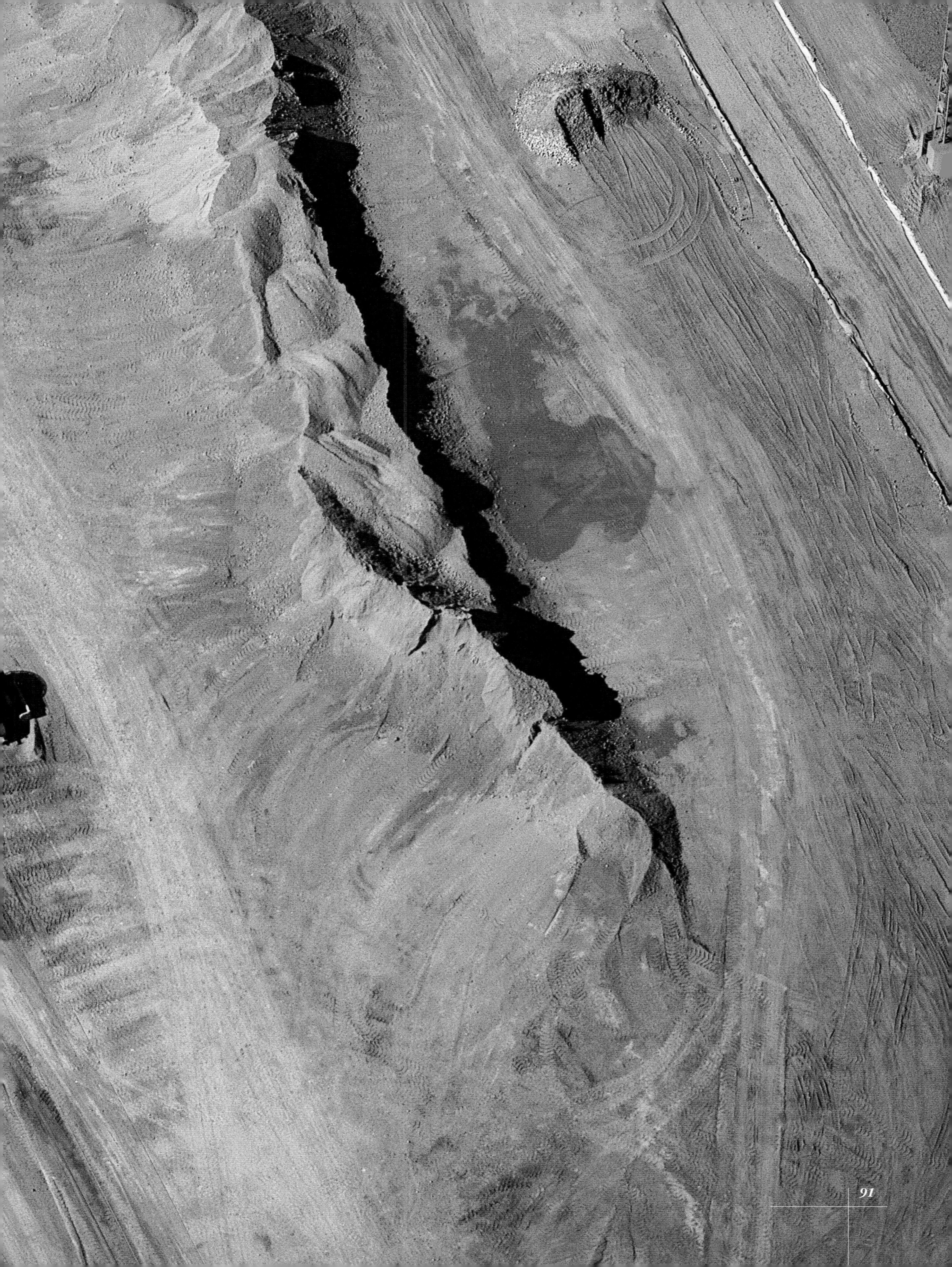

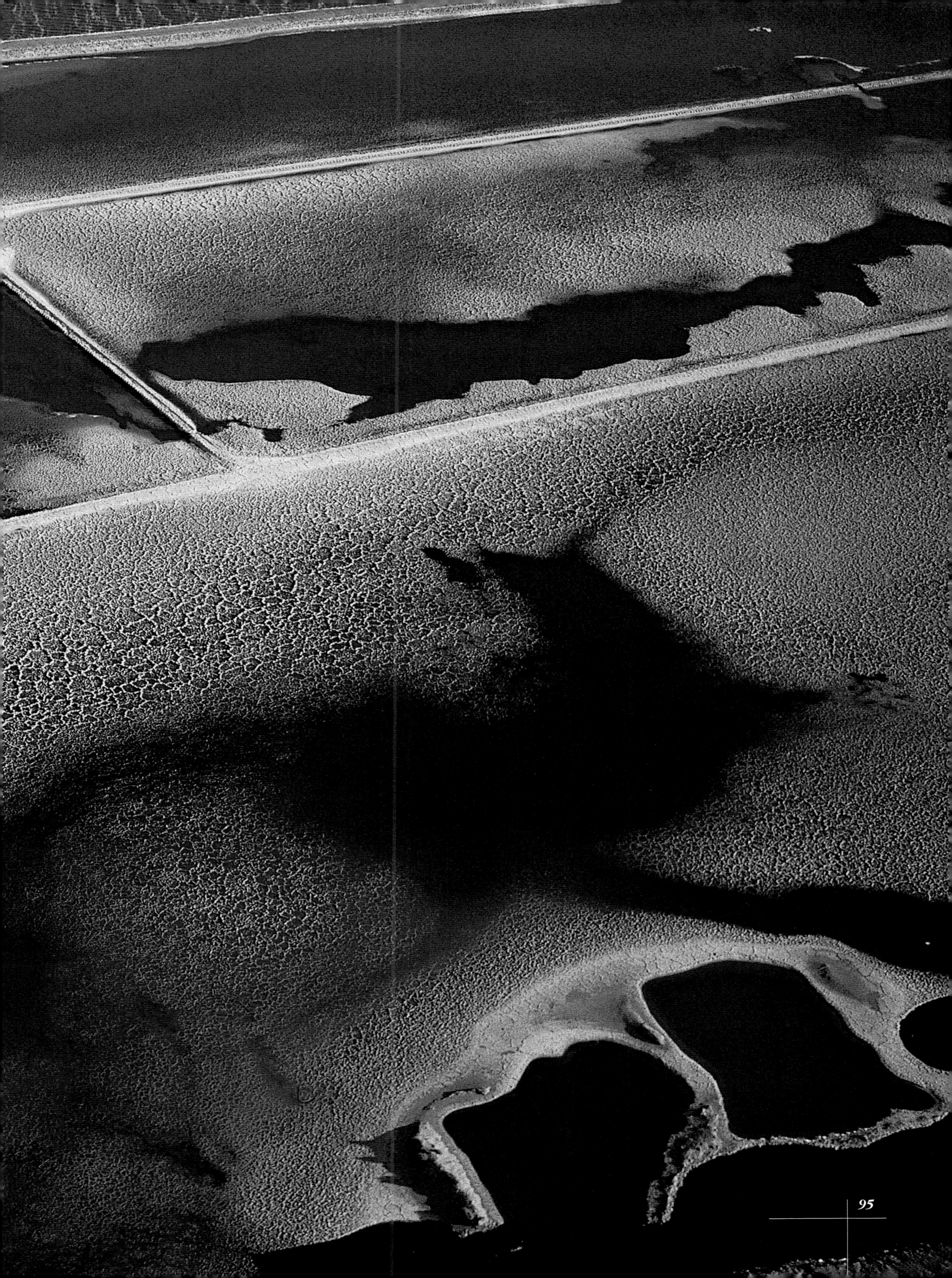

Page 82-83 *- Cultures en Limagne (63).*
La Limagne, plaine d'Auvergne, vaste bassin qui s'étend, du sud au nord, sur plus de 100 kilomètres.

Page 85 *- Marais de l'Ile d'Olonne (85).*
L'Ile d'Olonne, à quelques kilomètres au nord des Sables d'Olonne en Vendée.

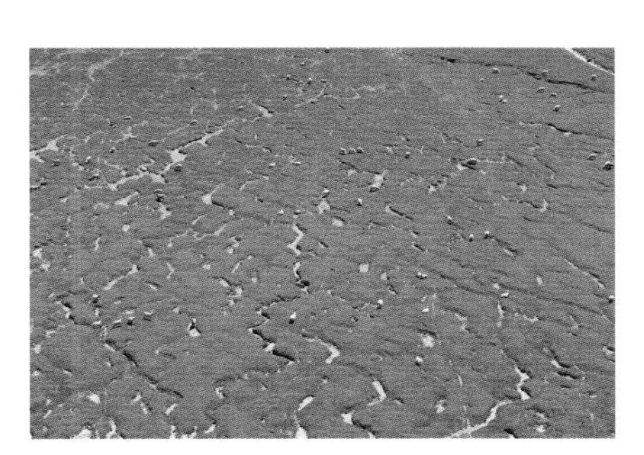

Page 87 *- Moutons de prés salés dans la baie du Mont Saint-Michel (50) .*

Page 89 *- Vieille ferme dans les vignobles du Minervois, Azille (11). Le Languedoc - Roussillon médiéval.*

Page 90-91*- Terminal de Fos (13).*
Le plus grand port industriel de France. Fos sur Mer créé à partir de 1965 entre la Camargue et la Côte Bleue.

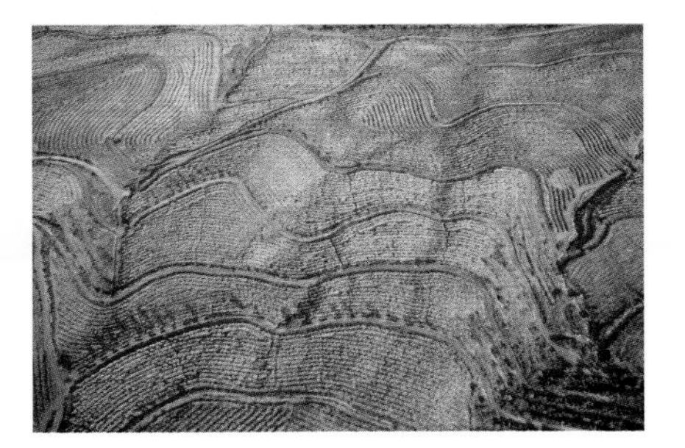

Page 92-93 *- Vignes en terrasse au sud de Bédarieux (34). Vignobles de coteaux, donnant le fameux vin de Muscat. .*

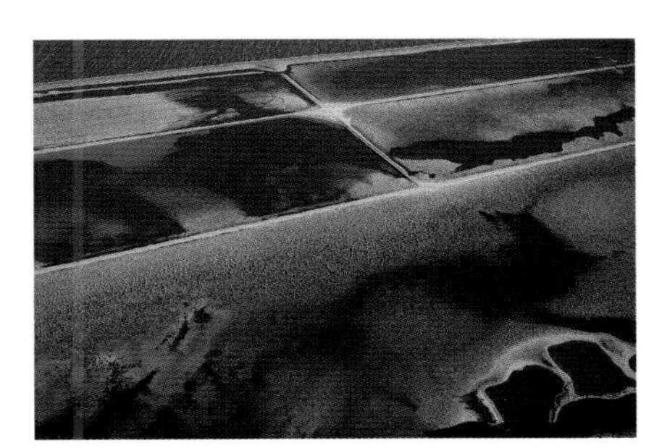

Page 94-95*- Salin-de-Giraud (13).*
Évacuation de l'eau de Mai. Elaboré en 1856 par l'entreprise Péchiney pour la production de chlore et de soude par électrolyse du sel.

Page 96-97 *- Plantations d'oliviers à Rivesaltes (66). L'autre activité que le vin en Roussillon : la culture de l'olivier.*

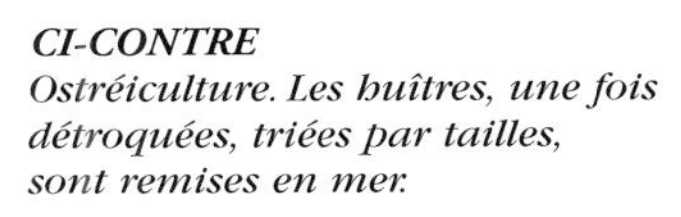

CI-CONTRE
Ostréiculture. Les huîtres, une fois détroquées, triées par tailles, sont remises en mer.

Page 98-99 *- Marennes (17) Ostréicultures.*
Juste en face de l'île d'Oléron, Marennes, capitale de l'Huître.

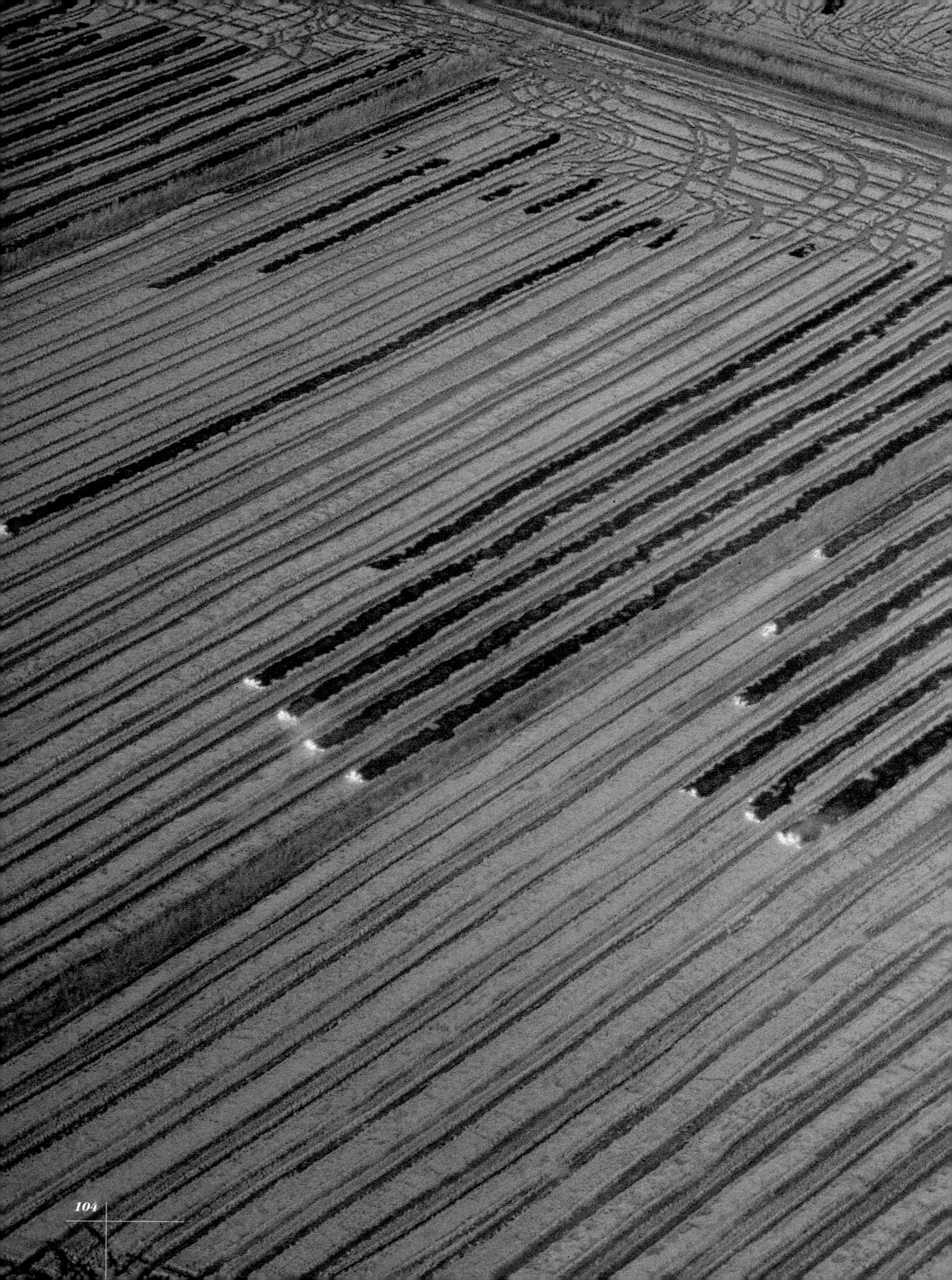

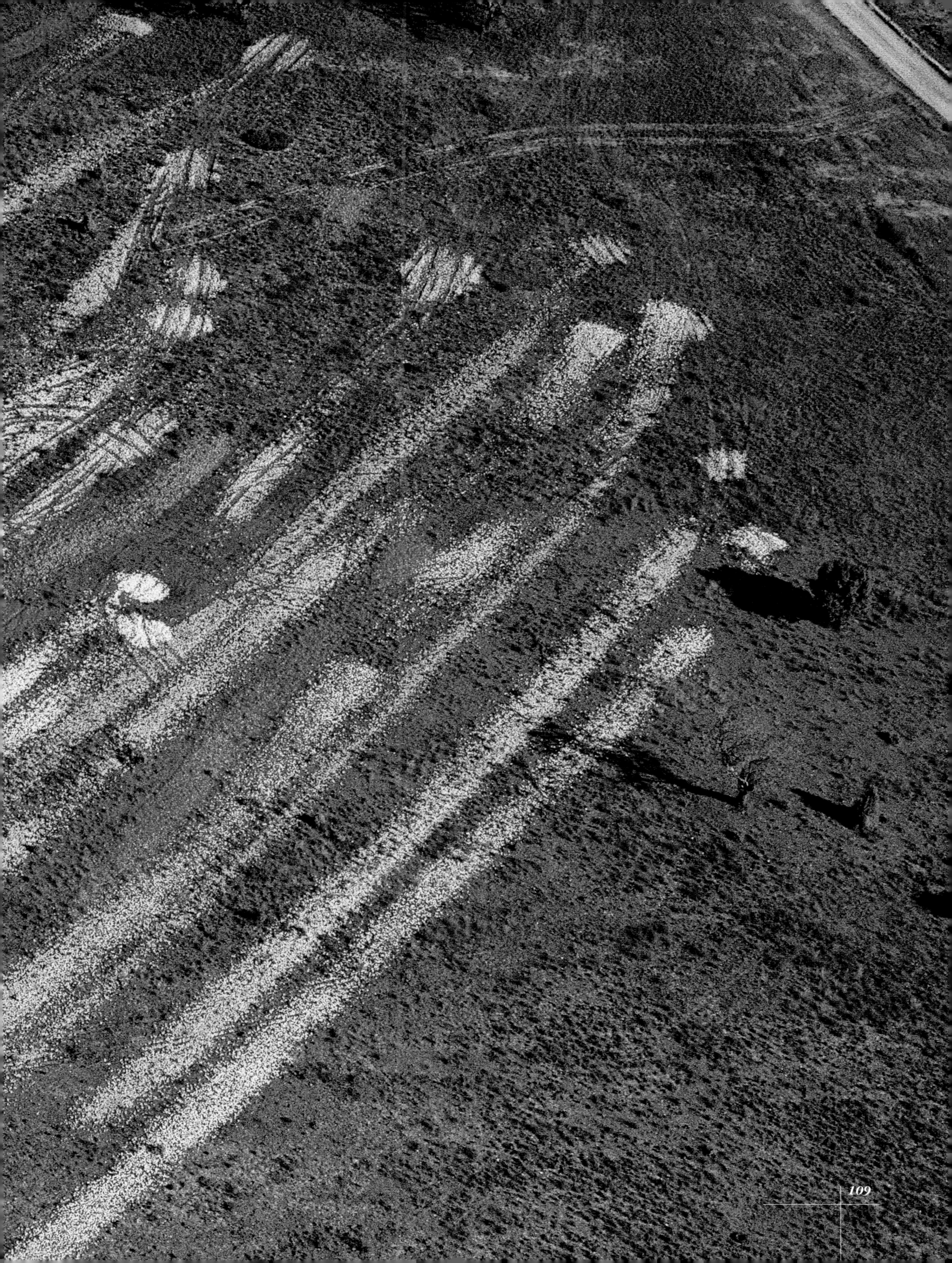

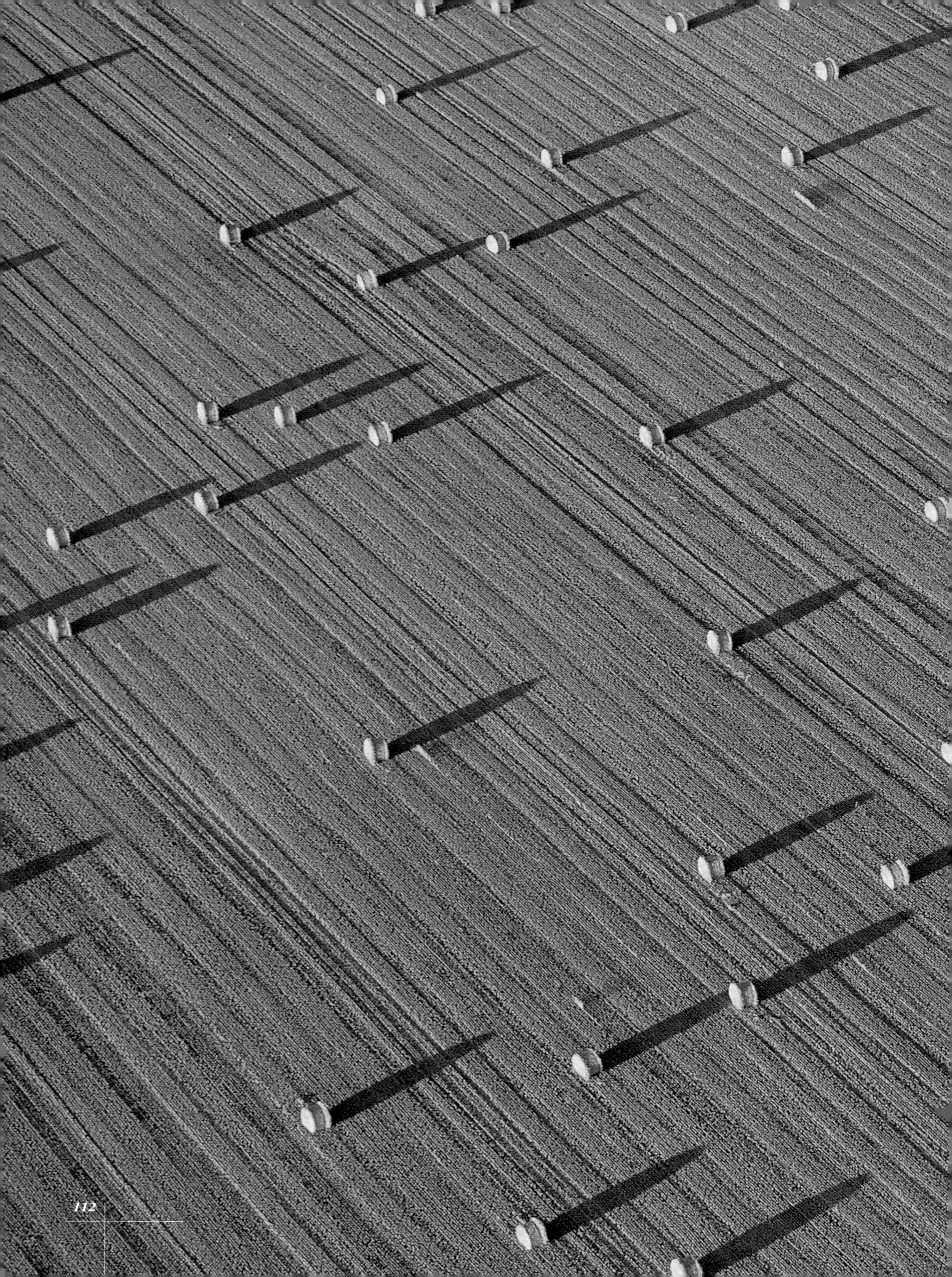

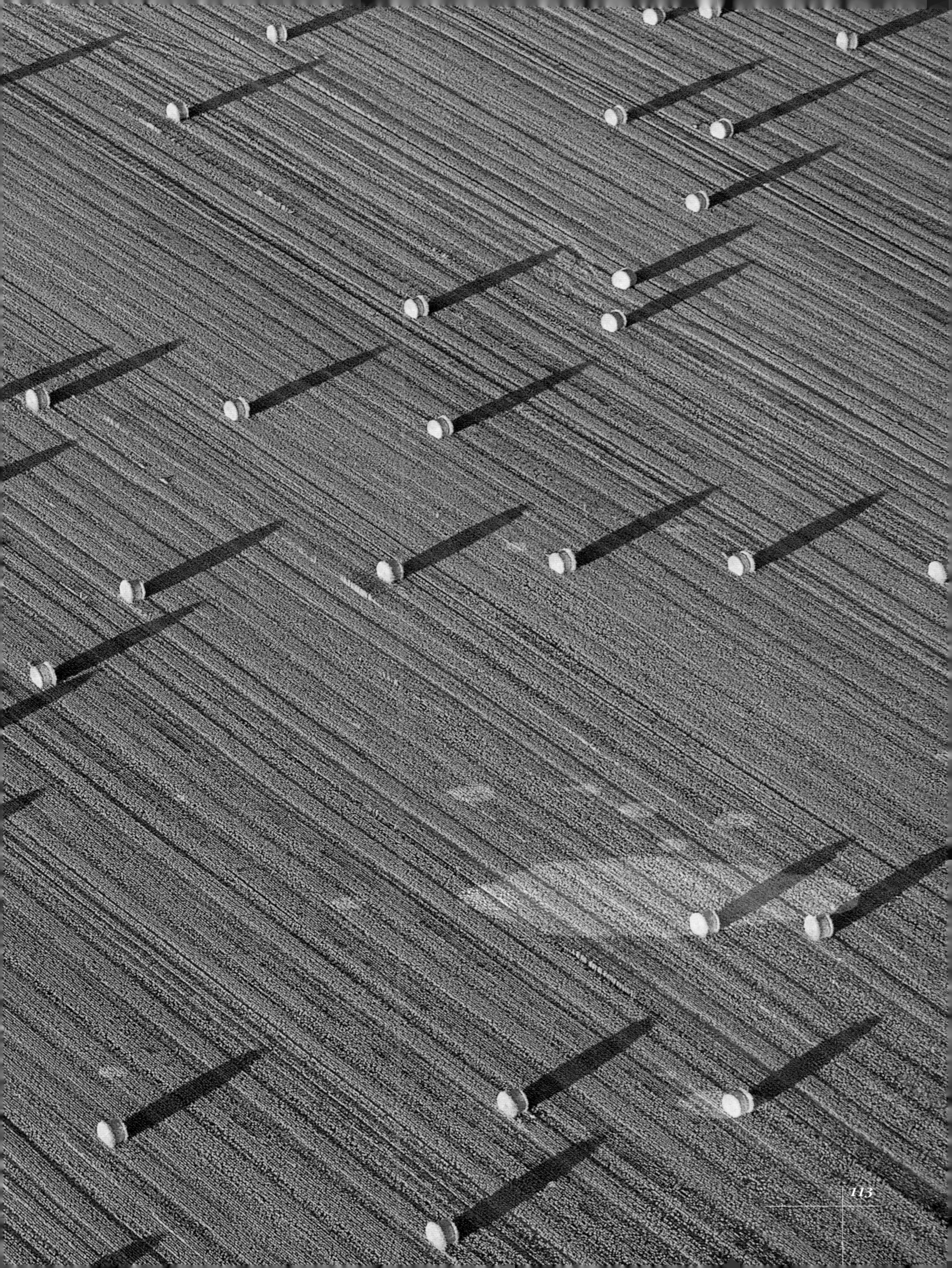

Page 102-103 *- Rizières en Camargue (13). Près du Sambuc, petit village de 200 habitants sur la route qui mène à la plage d'Arles.*

Page 104-105 *- Camargue (13). Brûlage de chaume.*

Page 106-107 *- Salins du midi, vignoble Listel. Ces fameuses vignes donnent des vins gris, Côtes de Provence.*

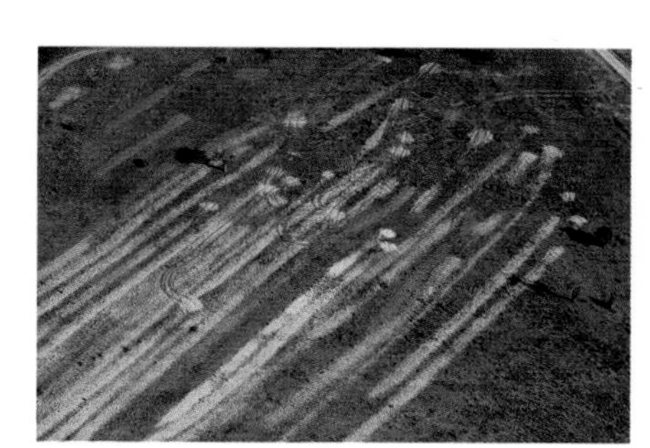

Page 108-109 *- Pommes, Charleval, Vallée de la Durance (13). Se tient à la frontière des Bouches du Rhône et du Vaucluse.*

Page 110-111 *- Parc à Huîtres, bassin de Thau (34). Etang de Thau dans l'Hérault.*

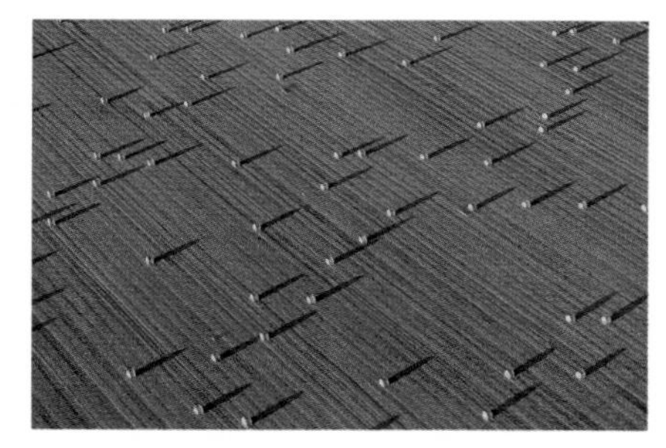

Page 112-113 *- Campagne du pays de Bray (60). Situé dans l'Oise, aux confins de la Picardie et de la Normandie.*

Page 114-115 *- Charente Maritime : conchyliculture. Elevage d'huîtres-ostréiculture et de moules-mytiliculture.*

Page 116-117 *- Vignobles du Minervois, Azille (11). L'un des plus anciens vignobles d'Europe..*

CI-CONTRE
Vendanges à Chablis (89).
L'un des plus anciens vignobles de France, créé au XIIe siècle.

Page 118-119 *- Ostréiculture du bassin de Thau (34).*

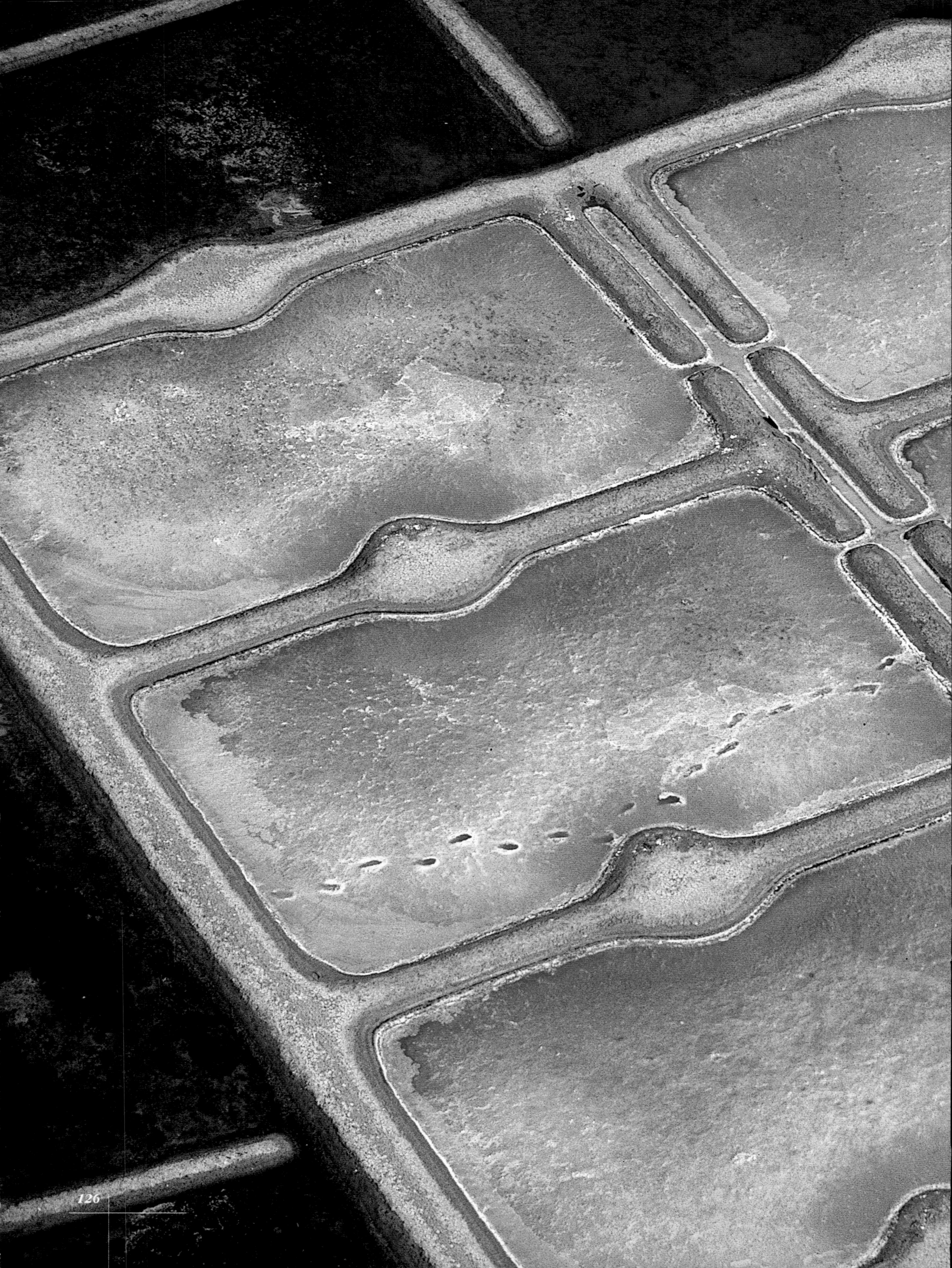

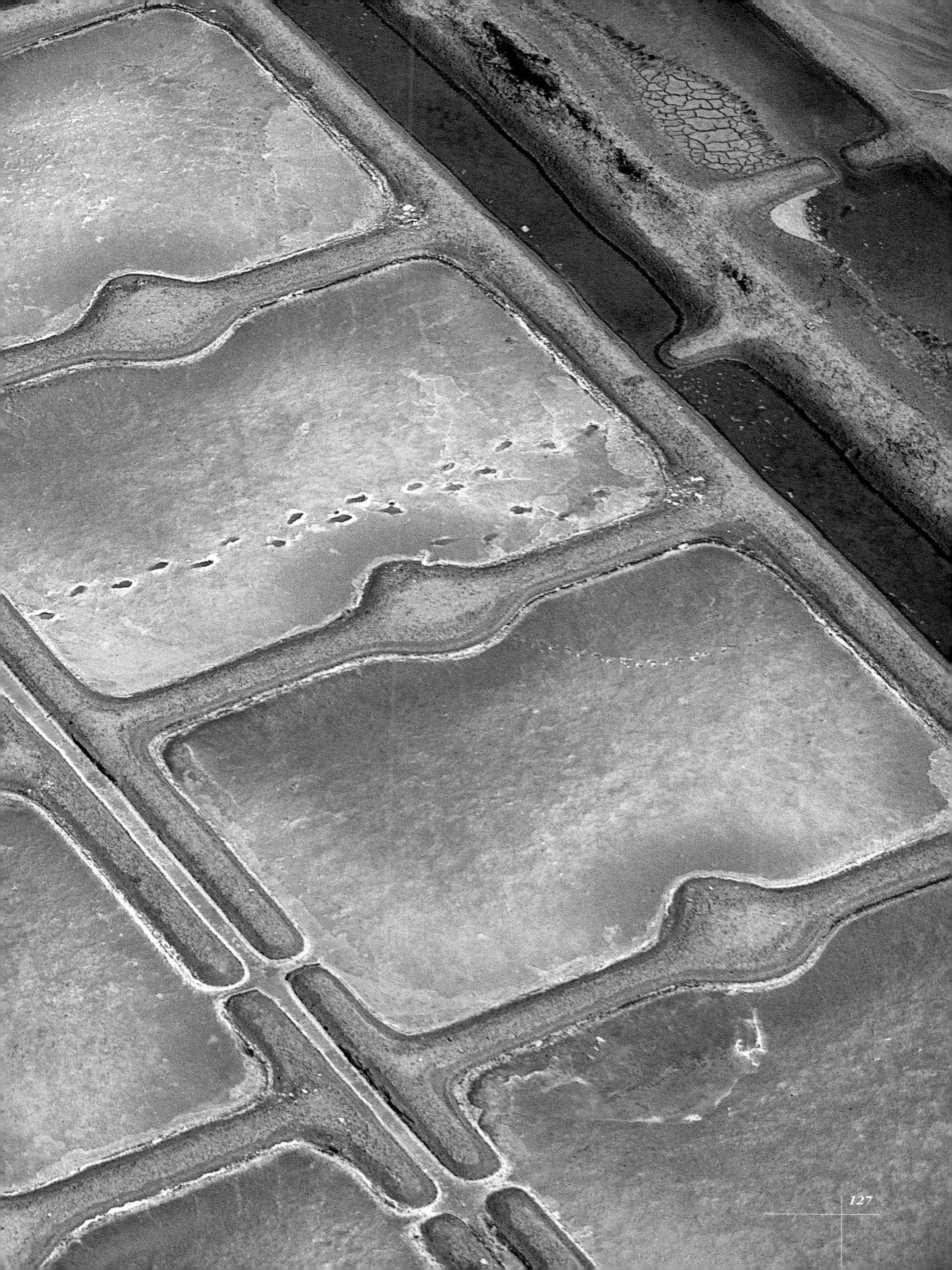

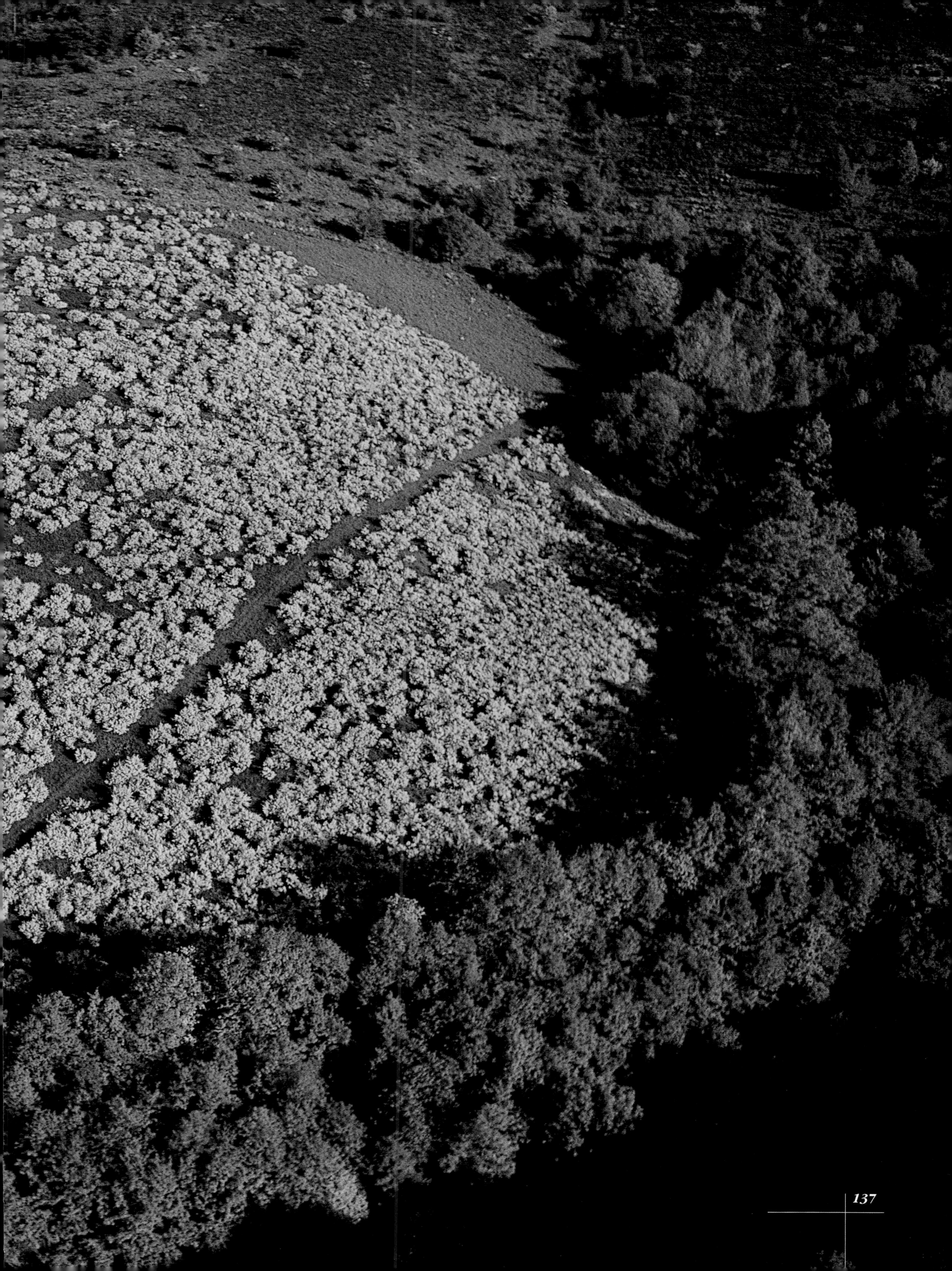

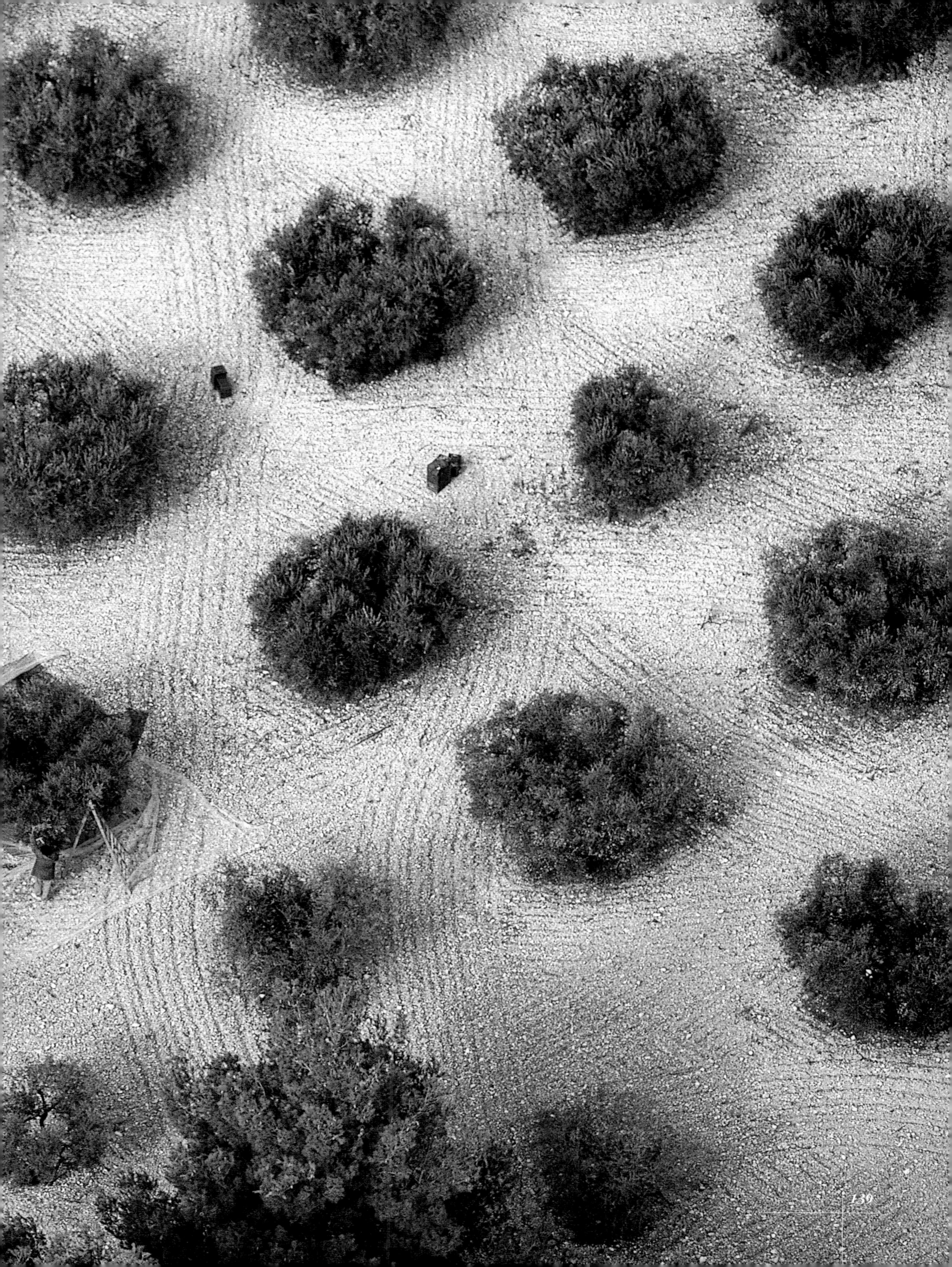

Page 122-123 *- Rizières de Camargue (13). Près du Sambuc. Les moissons commencent en septembre.*

Page 124-125 *- Salines en Camargue (13). Ont été conquises sur la mer. Le sel remonte des fonds sablo-limoneux.*

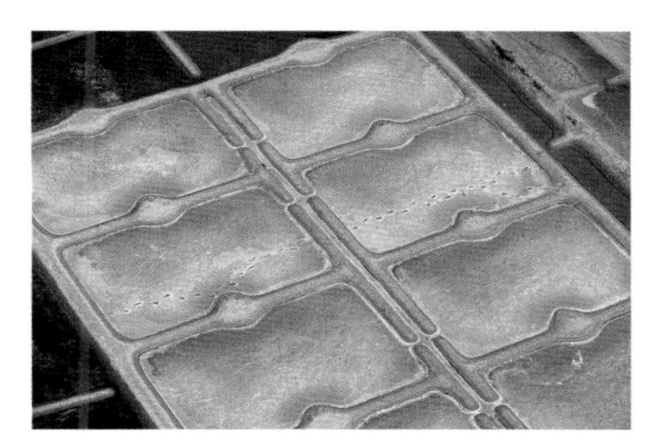

Page 126-127 *- Marais salant (44). Du côté de la Brière et de Guérande.*

Page 128-129 *- Haute Garonne (31). Vignes. La région de Toulouse donne la Négrette, cépage traditionnel de raisin noir, très fruité.*

Page 130-131 *- Champs de lavande dans le Vaucluse (84). La plante aromatique qui parfume nos linges y est cultivée.*

Page 132-133 *- Cerisiers en fleurs (84). Le Vaucluse est une zone plantée de cerisiers. Quand ils sont en fleurs, le rose et le blanc dominent*

Page 134-135 *- Provence : Champs de coquelicots, du côté de Saint Rémy de Provence.*

Page 136-137 *- Forêt du Haut Languedoc, genêts, La Salvetat sur Agout. Pays des fleurs.*

CI-CONTRE
Cerisiers en fleurs, Coustellet, plaine de Cavaillon

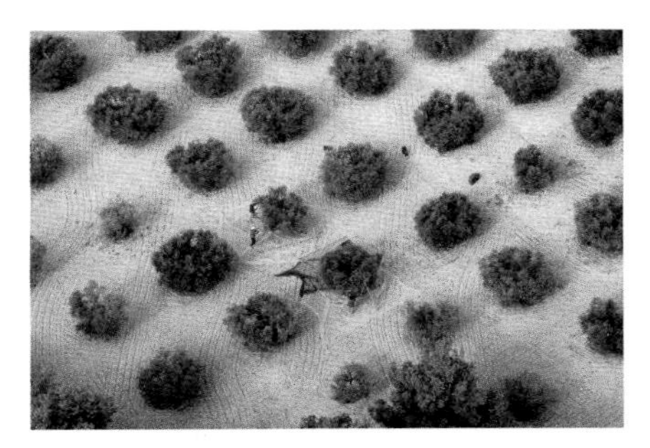

Page 138-139 *- Récoltes d'olives (13). La France compte aujourd'hui 15 000 hectares d'oliveraies.*

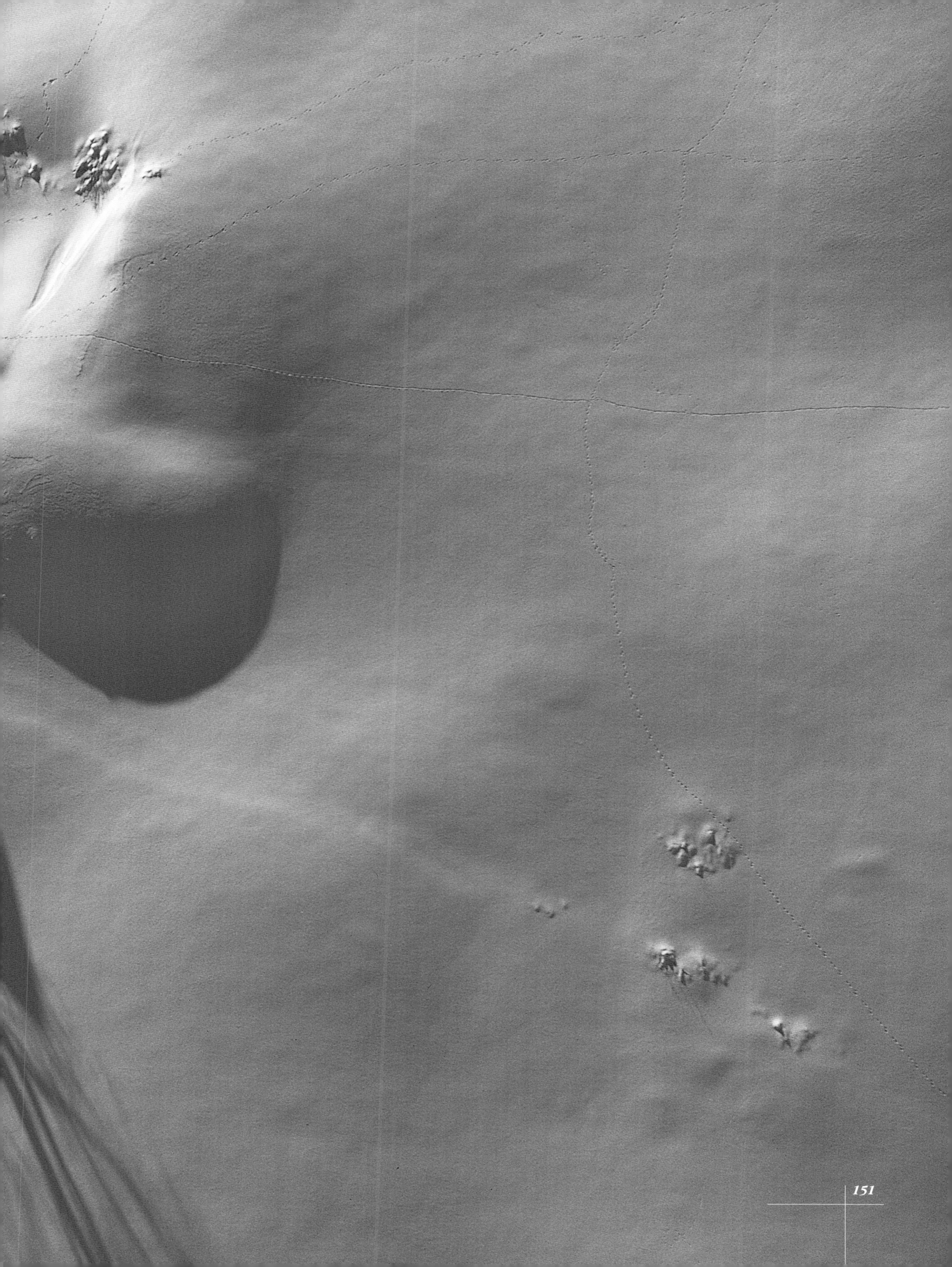

Page 142-143 *- L'île sur Têt (66). Du sable aggloméré et un vieux village dans les Pyrénées Orientales.*

Page 144-145 *- Lac de Ganguise Laurageais (11). La retenue artificielle de l'Estrade forme un lac de 278 hectares.*

Page 146-147 *- Chaîne des puys d'Auvergne. Apparue entre 23 millions d'années et cent mille ans avant JC.*

Page 148-149 *- Lac de Saint Croix (04). Le plus vaste des lacs du Verdon : 10 kilomètres de long sur 3 de large.*

Page 150-151 *- Vallée de la Tarentaise (73). Chalet sous la neige à Moutiers. Moutiers est la capitale historique de la Tarentaise.*

Page 152-153 *- Ile d'Yeu (85). La plus méridionale des îles vendéennes, située à une vingtaine de kilomètres au large des côtes du Poitou.*

CI-CONTRE
Plaine agricole de Fanjeaux (11).
Du haut du village médiéval de Fanjeaux, qui domine la plaine à 370 mètres d'altitude.

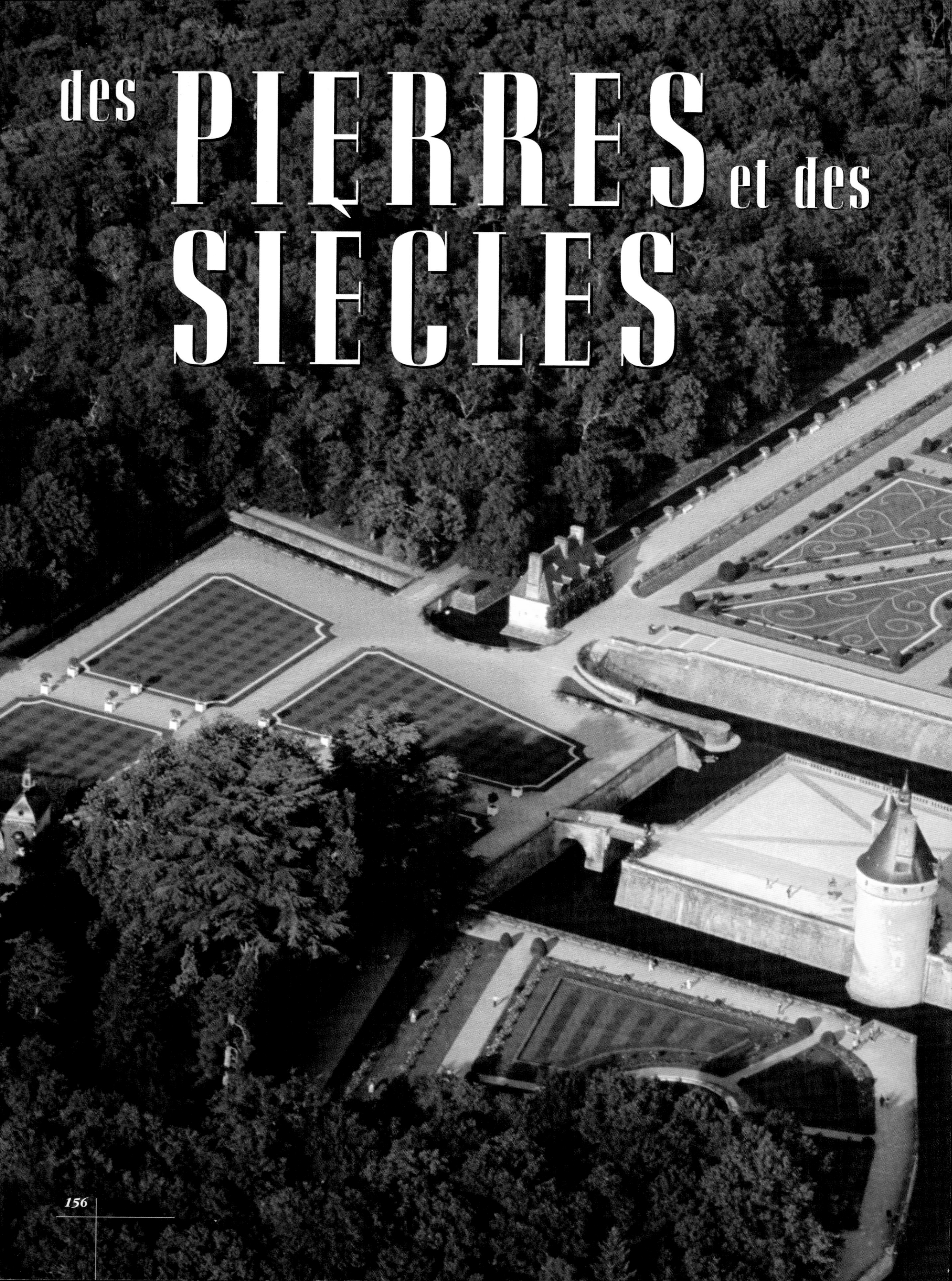

des PIERRES et des SIÈCLES

Si les pierres pouvaient parler, elles raconteraient des histoires dont on devine les échos tumultueux. Des histoires de splendeurs, de luttes et de passions amoureuses qui jalonnent l'Histoire de France. L'amour de l'art en quelque sorte est en France une seconde nature. C'est presque un abécédaire que ces pierres pourraient réciter au fil de ces pages. Amour, Art, Beauté, Fête, Forteresse, Jalousie, Mécénat, Passion .... Vus d'en haut, ces quelques mots furent l'ordinaire des rois et des reines de France.

Ces pierres nous diraient que si la France n'existait pas, il faudrait l'inventer. Heureusement les rois s'en sont chargés. Et le peuple aussi. Et pas seulement dans les idées, le langage, le mode de vie, mais aussi dans ce patrimoine monumental que le monde entier nous envie.

Entre terre et ciel on en a le souffle coupé. Non seulement pour la perfection de ce rêve de pierres, la géométrie parfaite de ces jardins « à la française », le rayonnement d'une culture au fil des siècles qui transparaît sur ces photos, mais aussi pour l'audace qu'elles racontent, le panache en quelque sorte. Chenonceau qui fut l'objet d'une joute amoureuse entre Diane de Poitiers et Catherine de Médicis, avec sa grande galerie sur arches enjambant le Cher ! Rambures et ses quatre donjons, Carcassonne ceinte de ses remparts, Belle Isle et sa forteresse Vauban et Bonifacio réputée imprenable... Tous ces clichés racontent l'histoire d'un siège, d'une bataille auxquels ne manque juste que la plume d'Alexandre Dumas pour tout enjoliver.

A trois cent mètres d'altitude, la France murmure encore l'histoire de ces pierres en une quarantaine de photos, et de ses cultures si riches, si différentes. Les arènes de Arles, construites au début de l'ère chrétienne, cernées par ses maisons du Moyen Age et du XVIIe siècle, résonnent des vivats des corridas. Le Mont Saint-Michel, surnommé la Merveille au temps de sa construction, s'élance vers le ciel pour un face à face avec Dieu, tandis que les eaux montent dans la baie. Dans les ruelles près de la Butte Montmartre, on peut encore suivre la trace du poète Aristide Bruant ou du peintre Toulouse Lautrec. Aux Baux de Provence, Frédéric Mistral fait revivre la langue provençale, Dante y conçoit son « Enfer ». A Amboise, le génie a élu domicile tout comme le fantôme de Léonard de Vinci, sa Joconde sous le bras. Il gît désormais dans la chapelle. A Chambord c'est le rire de Molière qui y donna quelques pièces devant Louis XIV, ou la marque de François 1er qui écrivit avec le diamant de sa bague sur le miroir de son cabinet de toilette : « souvent femme varie, bien fol est qui s'y fie ». Et à Mougins, comme en écho, à l'autre bout de la France, le sourire malicieux de Picasso lui répond.

Elles sont un peu de notre grandeur ces pierres, rondes comme les ruelles du village de Marie dans la Tinée, sinueuses comme celles de Collonges la Rouge, ou rectilignes, enjambant le Gard comme un pont romain. Et même quand elles se sont affaissées comme ce vestige médiéval sur l'île inhabitée de Finocchiarola en Corse, elles dégagent encore de l'émotion.
Si les pierres pouvaient rêver, elles songeraient certainement à la France.

Première Partie

Château de Chenonceau sur le Cher (p 156-157)
HISTOIRE DE BEAUTÉ. Henri II prit la suite de son père et par la même occasion sa maîtresse, la belle Diane de Poitiers. La reine Catherine n'eut de cesse d'embellir ce château lorsque le roi mourut d'un coup de lance dans l'œil. Les arches de la grande galerie furent inaugurées à l'occasion de la fête donnée par Catherine en l'honneur de son fils et nouveau roi, Henri II.

Château de Rambures, Picardie (p 159)
HISTOIRE DE CHEVALERIE. Forteresse féodale du XVe siècle, joyau de l'architecture militaire de la fin du Moyen Age construit sur un plan original (1 412) sur les ordres de David de Rambures qui mourut à la tête des armées françaises à Azincourt, et avec lui ses trois fils le 25 octobre 1415.

Mont Saint Michel à marée haute (p 161)
HISTOIRE D'ÉLÉVATION. La construction de la Merveille, ensemble de six salles reparties sur trois étages, eut lieu entre 1204 et 1228. Le bâtiment Est, renferme l'Aumônerie, la salle des Hôtes ou dînent les visiteurs de haut rang, et le réfectoire des moines. Cette superposition reflète l'organisation de la société médiévale : de bas en haut le tiers état, la noblesse et le clergé. Le second bâtiment Ouest contient au rez-de-chaussée le cellier pour entreposer la nourriture, puis la salle de travail des moines et, au sommet, le cloître, lieu de prière et de méditation.

Château de Chambord (p 163)
HISTOIRE MONUMENTALE. Château de la Renaissance construit sur ordre de François 1er. Démesuré. Le Grand Escalier du logis central comporte une double rampe en spirale. Il conduit aux appartements royaux et à la terrasse, qui domine à 32 mètres la campagne environnante. Le château possède 14 grands escaliers, 70 escaliers secondaires. Il est aussi doté de 440 sculptures !

Cordes, château (p 164-165)
HISTOIRE DE SYMÉTRIE. Dans la région de Clermont-Ferrand. Château du XVe siècle classé monument historique, perché à 900 mètres d'altitude, remanié intérieurement aux XVIIe et XVIIIe siècles. Jardins à la française et charmilles dessinées par le Nôtre en 1695.

Château de Bost-Besson dans l'Allier (p 166-167)
HISTOIRE DE REFUGES. La Seigneurie du Bost date du début du XVe siècle. En 1940 les dépendances du château accueillirent des réfugiés des Ardennes et de la Marne ainsi que le Maréchal Pétain en 1941. Le château du Bost fait actuellement l'objet d'une étude d'aménagement d'intérêt général.

Château d'Amboise (p 168-169)
HISTOIRE TRAGIQUE. Charles VIII le 7 avril 1498, en se rendant à une partie de Jeu de Paume, heurta de la tête le linteau d'une porte du château. Il mourut peu après à l'âge de 28 ans. La Salle des Etats est la plus belle pièce du château avec une double nef et des voûtes d'ogives arrivant sur des piliers décorés de fleurs de lys et de queues d'hermines. La Chapelle recèle les restes de Léonard de Vinci.

Paris, Montmartre (p 170-171)
HISTOIRE D'ARTISTES. Colline sacrée pour les romains, abbaye de Montmartre, colonie artistique aux XIXe et XXe siècle : impressionnistes, cubistes, fauvistes, futuristes et surréalistes. Désormais les caricaturistes y croquent le portrait des touristes pour deux sous.

Paris Louvre (p 172-173)
HISTOIRE DE MUSÉE. Plusieurs rois s'y sont attelés, un président l'a achevé. Philippe-Auguste à la fin du XIIe siècle, François 1er, Catherine de Médicis qui en un lieu-dit les Tuileries fait construire un immense palais qu'elle laisse inachevé. Henri IV qui décide d'unir le Louvre aux Tuileries en un gigantesque palais. Louis XIII et Louis XIV qui laisse le chantier en plan pour aller à Versailles... Au XXe, le Louvre est un domaine de plus de 40 hectares en plein cœur de Paris. Un musée de 60 000 m de salles d'exposition pour des œuvres réparties sur 11 millénaires. Le « Grand Louvre » a été achevé par François Mitterrand.

Château de Chantilly (p 174)
HISTOIRE DE CHEVAUX. Le domaine de Chantilly réunit le château du XIXe siècle de style Renaissance qui abrite le Musée Condé, le parc (dessiné par le Nôtre à l'origine), et le Musée Vivant du Cheval dans les écuries exceptionnelles.

Seconde Partie

Château de Koenigsbourg (p 176-177)
HAUT LIEU ROMANTIQUE. A 700 mètres d'altitude, sur un éperon rocheux des Vosges, Haut-Koenigsbourg est une forteresse fondée par les Hohenstaufen dans la première moitié du XIIe siècle. Lieu mythique et romantique au XIXe siècle, terre de l'Empire germanique en 1871. Le lieu revient de nouveau en France, après la guerre de 14-18.

Une Maison Troglodyte dans le Lot (p 178-179)
HABITAT MÉDIÉVAL. Les « roques » troglodytes, nombreuses dans le Quercy, étaient souvent plaquées contre la falaise. Parfois ces demeures semi-troglodytes étaient fortifiées et possédaient tous les attributs du château ou du donjon féodal : tours, créneaux, mâchicoulis, meurtrières...

Arènes de Arles (p 180-181)
LE FRISSON DES CORRIDAS. Arènes romaines du Ier siècle. Mais le frisson est aussi dans « Les Rencontres de la Photo », et « Les Suds », Festival des Musiques du Monde.

Théâtre antique d'Orange (p 182-183)
OPÉRA. Edifié au début de l'ère chrétienne, le Théâtre Antique doit sa réputation à la conservation exceptionnelle de son mur de scène. L'acoustique et la structure de l'édifice permettait à 7000 spectateurs d'assister à des spectacles, comme les nouvelles Chorégies qui confèrent à ce lieu un prestige international.

Aigues Mortes (p 184-185)
EAUX MORTES. Ou « Aquae Mortuae ». La présence de zones marécageuses dans ce coin de la Petite Camargue lui a donné son nom. En 1240, Saint Louis créa Aigues-Mortes afin de disposer d'un port sur la Méditerranée pour s'embarquer dans sa dernière croisade.

La Cathédrale d'Amiens (p 186-187)
LA PLUS VASTE. La plus grande des cathédrales de France édifiée au XIIIe siècle pour abriter de saintes reliques. C'est la période de l'épanouissement de l'art gothique.

Cathédrale de Reims (p 188-189)
COURONNEMENT. Commencée en 1211. Le grand frontispice occidental est dominé par la galerie des rois qui perpétue le souvenir du baptême de Clovis en ce lieu (vers 496) et des 31 sacres qui y furent célébrés entre 816 et 1825. Jeanne D' Arc y a notamment fait sacrer Charles VII Roi de France le 17 juillet 1429.

Carcassonne, ville et remparts (p 190-191)
LA VILLE FORTE. 2 millions de visiteurs par an s'y pressent. L'une des places fortes emblématiques du pouvoir royal sur la frontière qui sépare la France et l'Aragon. Au XIXe siècle, grâce à l'action des Carcassonnais et du service des Monuments historiques Eugène Viollet-le-Duc la restaure.

Fort Boyard (p 192-193)
LES CLÉS DE FORT BOYARD. Un jeu télévisé célèbre (France 2) a redonné à ce fort abandonné une seconde jeunesse.

Villeneuve lez Avignon (p 194)
ON Y DANSE. Face à Avignon et à son célèbre pont, surplombant la vallée du Rhône.

Troisième Partie

Château de Murol, Auvergne (p 196-197)
REPAIRE. Le château de Murol construit au XIIe siècle servit tour à tour de prison et de repaire de brigands pendant la Révolution. C'est un chef-d'œuvre de l'architecture militaire médiévale.

Fort de Salses (p 198-199)
FRONTIÈRE. Construit à la fin du XVe siècle par les espagnols, le Fort de Salses gardait l'ancienne frontière entre la Catalogne et la France. Un exemple rare de transition entre château fort médiéval et fortifications modernes.

Fort la Latte, Fréhel, Côte d'Armor (p 200-201)
VAUBAN. Fort La Latte devient connu en 1957 suite au tournage du célèbre film « Les Vikings ». Le château a été érigé à partir du XIIIe siècle. Plus tard, le fort sera modifié pour y installer une batterie d'artillerie et sera remanié par Vauban.

Château de Puilaurens (p 202-203)
VERTIGE. Une des forteresses les mieux défendues du Sud de la France. En 1258 le château est rattaché à la couronne de France, renforcé sous Saint-Louis et Philippe Le Hardi. Plusieurs fois attaqué, Puilaurens ne sera pris et démantelé qu'en 1656 par les troupes d'Aragon.

Iles Finocchiarola (p 204-205)
RÉSERVE NATURELLE. Lieu de nidification des cormorans huppés et du rare goéland d'Audouin que l'on ne trouve que sur les îlots rocheux de Méditerranée.

Belle Isle (p 206-207)
VAUBAN, TOUJOURS. Romaine pendant 3 siècles, Belles Isle fût durant 5 siècles la propriété des moines et resta sans cesse attaquée par les flottes ennemies. Ces attaques cesseront suite à l'emprisonnement en 1661 du surintendant Fouquet (qui avait acquis l'île) et aux fortifications faites par Vauban à la demande de Louis XIV.

Le pont du Gard (p 208-209)
GRANDS TRAVAUX GALLO-ROMAINS. Classé au patrimoine mondial de l'Unesco depuis 1985, le Pont est une partie de l'aqueduc construit vers l'an 50 pour transporter l'eau de la source d'Eure jusqu'à Nîmes sur 50 kilomètres.

Avignon, pont Saint Bénezet (p 210-211)
SUR LE PONT. Edifié au XIIe siècle et détruit en 1226 lors de la Croisade des Albigeois. Reconstruit, endommagé par les crues du Rhône et définitivement abandonné au XVIIe. Inscrit au patrimoine mondial de l'Unesco.

Pont ferroviaire de Gisclard (p 212-213)
PETIT TRAIN. On l'appelle le train jaune de Cerdagne. La ligne qui serpente au-dessus des gorges de la Carança, relie Latour de Carol-Enveitg à Villefranche, en passant par Font-Romeu. Elle a été surnommée « Canari ».

Barrage de Chastang, Servières-le-Château (p 214)
PUISSANT. Mis en service en 1951, c'est le plus en aval et le plus puissant des 5 grands barrages de la Dordogne. Haut de 79 mètres, il a une capacité de retenue de 187 millions de m³.

Quatrième Partie

Village de Collonges la Rouge (p 216-217)
SUPERLATIF. Collonges la Rouge a été le premier village à être classé « plus beau village de France ». Ancienne étape des Pèlerins de Saint Jacques de Compostelle, son église, sa chapelle des Pénitents, ses castels, ses rues pavées et sa maison de la Sirène, sont construits en grès rouge.

Orcet (p 218-219)
BATAILLE. Orcet est lié à Gergovie. Jules César y établit son grand camp à l'époque de la bataille qui l'opposa à Vercingétorix en 52 avant JC. Le bourg conserve son plan circulaire témoin des anciens remparts qui protégeaient la ville.

Bonifacio (p 220-221)
PERCHÉ. La ville fut créée en 828 par Boniface, marquis de Toscane. En 1528, la peste y fit 3 000 morts sur les 4 000 que comptait la ville. Réputée imprenable, la ville la plus au sud de France capitula quelques années plus tard devant les corsaires turcs.

Bora Bora, bungalows (p 222-223)
PERLE. Bora Bora, un bijou de 38 km, au nord-ouest de Tahiti. Un lagon né de l'affaissement d'un volcan (le mont Otemanu, 727 mètres, doublé du légendaire Mont Pahia, 626 mètres).

Saint Nectaire (p 224-225)
SOURCE ET MYSTÈRE. Saint Nectaire est la capitale des mégalithes. Au début du siècle, on en dénombrait plus de 100. Aujourd'hui il reste 6 menhirs et dolmens. Ville d'un fromage célèbre, elle est aujourd'hui une station thermale réputée.

Cagnes sur mer, le château (p 226-227)
L'AMOUR DE L'ART. Perché au sommet de la colline du château, le quartier le plus ancien de Cagnes-sur-mer, est chargé de patine, d'histoire. D'origine ligure, la « colline arrondie » a été le refuge de Renoir, de 1903 à sa mort en 1919.

Village de Marie (p 228-229)
VIERGE. Village médiéval de la vallée de la Tinée, sur un piton rocheux à 620 mètres d'altitude, son église abrite une statue de la Vierge sculptée à Gênes dans du bois d'olivier.

Yport, le village sur la côte d'albâtre (p 230-231)
VILLÉGIATURE. Au début du XIXe siècle, Yport n'était encore qu'un petit port de pêche pittoresque. Dans les années 1850, Yport devint la villégiature des parisiens qui ne pouvaient s'offrir Etretat.

Les Baux de Provence (p 232-233)
MISTRAL. A côté d'Arles, sur un plateau, les Baux domine des paysages exceptionnels. Village classé que l'on visite un peu comme un musée, 22 pièces architecturales, inscrit aux Monuments Historiques.

Mougins (p 234)
PICASSO. Qui dit Mougins dit Art avec une majuscule. En 1924, Francis Picabia, peintre surréaliste d'avant-garde, y construisit sa maison. Pablo Picasso, passa les 15 dernières années de sa vie à Mougins.

HOTEL

SAMARITAINE

Page 156-157 *- Château de Chenonceau sur le Cher. Entamé au début du XVe siècle. Embelli par François 1er, Henri II, Diane de Poitiers et Catherine de Médicis.*

Page 159 *- Château de Rambures, Picardie. Forteresse féodale du XVe siècle.*

Page 161 *- Mont Saint Michel (50) à marée haute. Commencé en 1024. Une partie du Mont appelée La Merveille a été édifiée entre 1204 et 1228.*

Page 163 *- Château de Chambord Château de la Renaissance construit sur ordre de François 1er.*

Page 164-165 *- Cordes (63), château. Dans la région de Clermont-Ferrand. Château du XVe siècle, à 900 mètres d'altitude.*

Page 166-167 *- Château de Bost – Besson dans l'Allier. La Seigneurie du Bost date du début du XVe siècle.*

Page 168-169 *- Château d'Amboise. Construit par Charles VIII, fils de Louis XI.*

Page 170-171 *- Paris, Montmartre. La basilique du Sacré Cœur, construite entre 1875 et 1914 sur la Butte Montmartre, domine Paris à 129 mètres de hauteur.*

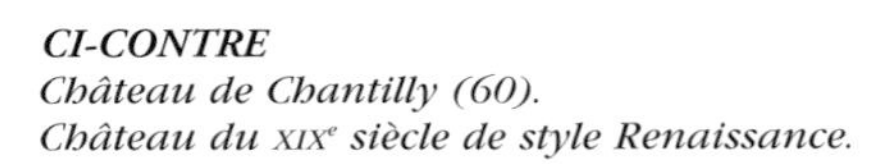

CI-CONTRE
Château de Chantilly (60). Château du XIXe siècle de style Renaissance.

Page 172-173 *- Paris Louvre. Construit sous plusieurs rois et reines : Philippe-Auguste, François 1er, Catherine de Médicis, Henri IV, Louis XIII.*

Page 176-177 - Château de Koenigsbourg, (67). A 700 mètres d'altitude, sur un éperon rocheux des Vosges, fondé par une dynastie allemande au début du XIIe siècle.

Page 178-179 - Une Maison Troglodyte dans le Lot (46). Les « roques» troglodytes sont nombreuses dans le Quercy.

Page 180-181 - Arènes de Arles (13). Arènes romaines du Ier siècle.

Page 182-183 - Théâtre antique d'Orange (84). Edifié au début de l'ère chrétienne.

Page 184-185 - Aigues Mortes (30). Créé par Saint-Louis en 1240, en Camargue.

Page 186-187- La Cathédrale d'Amiens (80). Edifiée au XIIIe siècle pour abriter de saintes reliques.

Page 188-189 - Cathédrale de Reims (51). Commencée en 1211. Jeanne D'Arc y a notamment fait sacrer Charles VII roi de France le 17 juillet 1429.

Page 190-191 - Carcassonne, ville et remparts (11). La Cité a été fortifiée au XIe siècle, et après la croisade contre les Albigeois.

CI-CONTRE
Villeneuve lez Avignon.
L'abbaye de Saint-André, construite au Xe siècle est le berceau de la ville actuelle, qui surplombe la vallée du Rhône.

Page 192-193 - Fort Boyard. Construit au milieu du XIXe siècle.

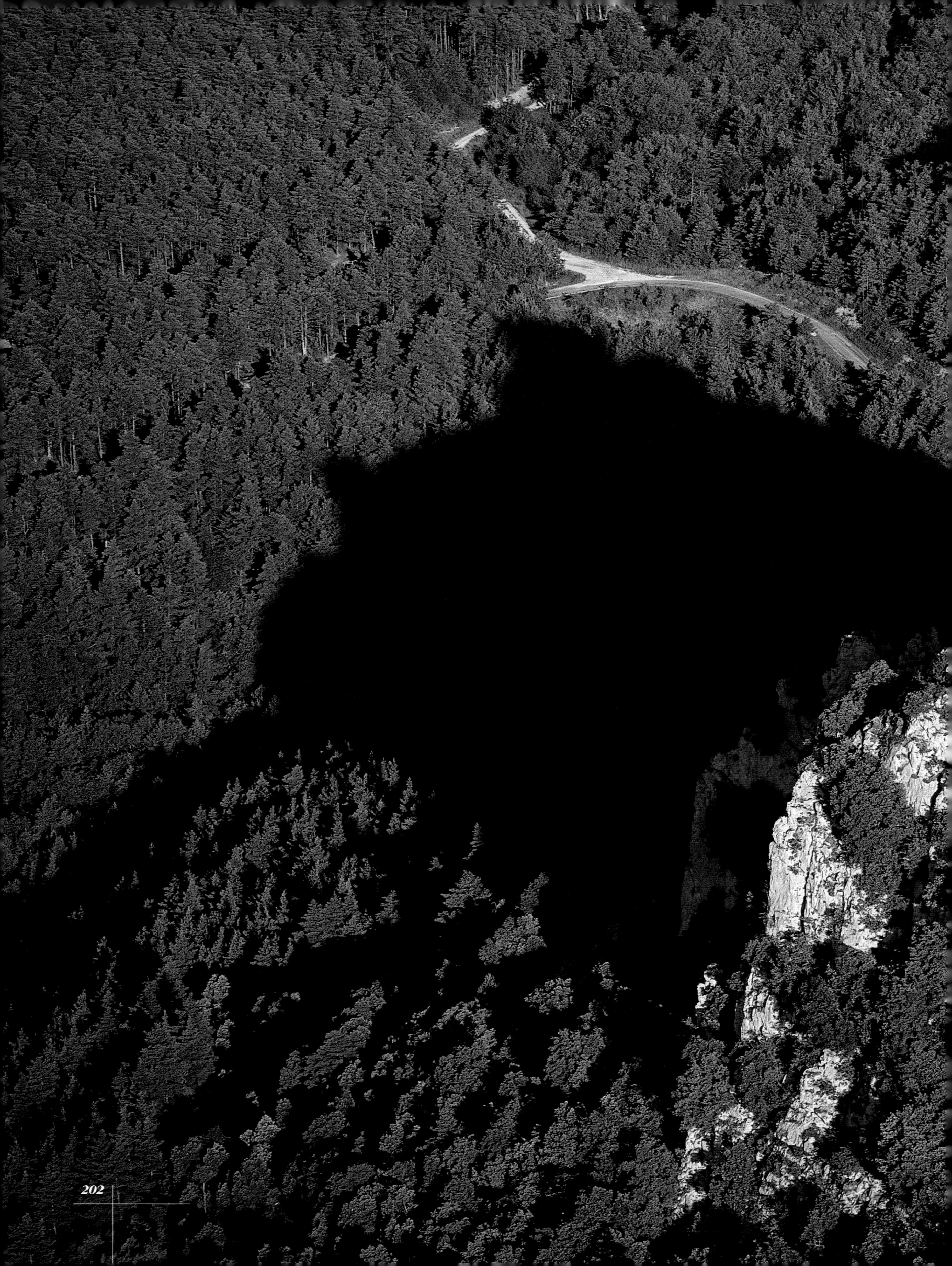

Page 196-197 *- Château de Murol (63). Construit au XIIe siècle.*

Page 198-199 *- Fort de Salses (66). Construit à la fin du XVe siècle par les espagnols.*

Page 200-201 *- Fort la Latte, Fréhel (22). Le château a été érigé à partir du XIIIe siècle, et remanié par Vauban.*

Page 202-203 *- Château de Puilaurens dans la haute vallée de l'Aude (81). En 1258 le château est rattaché à la couronne de France, renforcé sous Saint-Louis et Philippe Le Hardi.*

Page 204-205 *- Iles Finocchiarola . Petite île et réserve naturelle du Cap Corse.*

Page 206-207 *- Belle Isle (56). Fortifiée par Vauban à la demande de Louis XIV.*

Page 208-209 *- Le pont du Gard (30). Construit vers l'an 50 après JC, classé au patrimoine mondial de l'Unesco.*

Page 210-211 *- Avignon, pont Saint Bénezet (84). Edifié au XIIe siècle, détruit en 1226. Inscrit au patrimoine mondial de l'Unesco.*

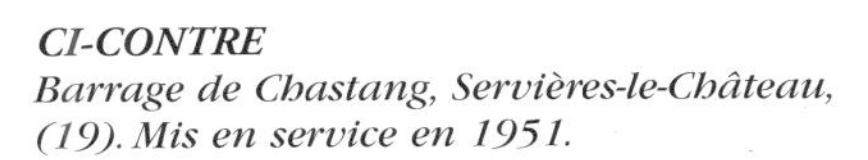

CI-CONTRE
Barrage de Chastang, Servières-le-Château, (19). Mis en service en 1951.

Page 212-213 *- Pont ferroviaire de Gisclard (66). C'est le petit train des plateaux de Cerdagne à la frontière espagnole.*

Page 216-217 *- Village de Collonges la Rouge (19). Premier village à avoir été classé « plus beau village de France ».*

Page 218-219 *- Orcet, près de Gergovie (63), où, Jules César, dit-on, vainquit Vercingétorix.*

Page 220-221 *- Bonifacio, Corse. La ville fut créée en 828 par Boniface, marquis de Toscane.*

Page 222-223 *- Bora Bora, bungalows. Petite île de 38 km, au nord-ouest de Tahiti.*

Page 224-225 *- Saint Nectaire (63). Capitale des mégalithes. Le dolmen du parc fut le premier à avoir été classé monument historique en 1875.*

Page 226-227 *- Cagnes sur mer (06). Le château, perché au sommet de la colline. L'un des plus anciens quartiers sur la Côte d'Azur.*

Page 228-229 *- Village de Marie (06). Village médiéval de la vallée de la Tinée.*

Page 230-231 *- Yport (76). Le village sur la côte d'albâtre. Ancien village de pêcheurs entre Fécamp et Etretat, et station balnéaire.*

CI-CONTRE
Mougins (06). Célèbre village fleuri de l'arrière pays de Cannes où vécut Picasso.

Page 232-233 *- Les Baux de Provence (13). Célèbre village médiéval et Renaissance près de Arles.*

le TEMPS de la MODERNITÉ

Pas de pays moderne sans repos, pas de repos sans travail. Quand ils ne sont pas commandés par l'espace, ordonnés par la rigueur graphique, le bon plaisir de quelques souverains et présidents ou la patine du temps et la main de l'homme, nos paysages sont industriels. Et l'on peut aussi entendre par là qu'ils vont main dans la main avec cette fameuse « civilisation des loisirs ». Pas de semaine de travail sans week-ends, c'est bien connu. Pas de week-ends sans plages, sans remontées mécaniques, ou sans musées. Et rien de tout cela sans autoroutes, échangeurs, grandes avenues bordées de bureaux et parkings. Pour autant, ils dévoilent quand même une beauté, vus d'en haut, qu'on ne soupçonnait pas toujours quand on les regardait du sol. Est-ce l'art du photographe ? Oui, et non. Il n'y a pas que l'angle et la lumière, il y a la nécessaire distance avec ce qui se voit en bas. Il est vrai que l'échangeur de Riou vu du ciel a des allures de nœud papillon, que la perspective depuis l'Arche de la Défense donne à Paris un air de mégalopole d'Amérique, que le parking de Trappes ressemble à un gigantesque Lego, et le Pont de l'île de Ré à de la dentelle d'acier. C'est le talent de ces photographes de nous donner à voir ces lieux modernes d'une autre manière. Celui des architectes aussi. La Grande Motte, paradis du yachting, a fini par se fondre dans le paysage du Roussillon à force de rondeurs et de terrasses ouvertes sur le chant des cigales et le bleu du ciel, comme on en voit partout dans le midi de la France. La station de ski de Piau Angaly épouse les contours ronds d'un cirque naturel des Pyrénées avec la neige et les monts pour témoins. Les ports de Marseille et de Lyon nous divulguent la fébrilité d'un monde en marche, dans lequel la France occupe une des toutes premières positions. L'ombre portée de la Tour Eiffel sur Paris au couchant nous rappelle la Belle Epoque et l'invention de la fée électricité. Tout comme la chevauchée des eaux dans le canal du Loiret passant au-dessus de la Loire nous conte cette saga de la nature domestiquée par la France des bâtisseurs et des ingénieurs. L'oublierait-on que les barrages de Villefort en Lozère et du Beaufortin nous le rappelleraient. Ces oeuvres dit de « génie civil » ne sont pas que des ouvrages d'art et pas seulement en raison des prouesses techniques qu'ils suggèrent : domestiquer une montagne, apprivoiser un lac, faire transhumer des millions de voitures n'est pas une mince affaire. A l'instar de la Tour de monsieur Eiffel, rêve de Jules Verne, ou du futurisme rétro de terminal 1 de Roissy construit dans les années soixante, ils sont un morceau de ce patrimoine qui vieillit aussi bien que ce pays. Si bien que vue d'en haut, on ne sait plus si l'industrie est lourde, ou a la légèreté de nos loisirs tellement ces deux s'imbriquent. Et c'est tant mieux, car à quoi servirait un barrage si on ne pouvait pas aussi descendre la rivière en radeau, à quoi servirait une tour si on ne pouvait pas monter sur la terrasse pour admirer le paysage, à quoi servirait un port de commerce dans une ville s'il ne finançait pas grâce à ses revenus un port de tourisme à côté.

Du coup en un peu plus de 30 clichés, ce livre clôt en même temps qu'il ouvre à nouveau, l'histoire d'un pays sans cesse recommencé par la patience et la ténacité de ses habitants. Un grand pays moderne où les lieux du travail, du voyage peuvent être aussi agréables à vivre.

MUSEE
MARINE
MERCURY
L'EXPLORATION SOUS MARINE
Culture Beach
L'ESCALE
EVINRUDE

Première Partie

La Grande Motte, le port (p 236-237)
TOURISME DE MASSE. En petite Camargue, l'ère des loisirs de masse s'est amarrée avec le port de la Grande Motte, construit dans les années soixante. Immeubles en pyramides, terrasses, balcons : une ville conçue pour les vacances nautiques.

Nice, le port (p 239)
BAIE DES ANGES. La célébrissime Promenade des Anglais, est toujours impeccablement fleurie. Le port de Nice a constitué pour les États de Savoie jusqu'en 1815, leur seul débouché sur la Méditerranée.

Piau Engaly, station de ski (p 241)
GLISSE. Le champ de neige de Piau Engaly est un grand cirque ouvert, offrant un panorama grandiose. Aux portes du Parc National des Pyrénées, la station est située à 1850 mêtres d'altitude. Exemple d'une architecture ronde et intégrée.

Carry le Rouet, le port (p 243)
CALANQUES. Station balnéaire bien connue dans les années 1930 grâce à Fernandel qui y passait ses vacances, Carry le Rouet se situe à l'épicentre de la Côte Bleue, entre Marseille à l'Est, Martigues et l'Etang de Berre à l'Ouest. Le port de plaisance est niché dans une très belle calanque naturelle.

Lannion, Côte d'Armor, Ile grande (p 244-245)
LITTÉRAIRE. Joseph Conrad, qui venait de se marier, séjourna avec sa femme Jessie, quelques jours à l'hôtel de France à Lannion (le temps d'écrire les premières pages de La rescousse, troisième volume de sa trilogie malaise qu'il achèvera... vingt-trois ans !) et chercha dans la région une maison à louer, qu'il trouva finalement à L'Ile Grande.

Métabief, village sous la neige (p 246-247)
FONDU. Métabief, de l'ancien français "mete" ou "methe" (signifiant borne) et bief (ruisseau) tirerait son nom de la position stratégique de son ruisseau (Le Bief Rouge) qui servit de délimitation au XIIe siècle entre Pontarlier et la seigneurie de Jougne.

Ile de la Coudalère, étang de Salses (p 248-249)
EN DANGER. Superficie : 6370 hectares. L'étang est utilisé pour de nombreuses activités : pêche traditionnelle, conchyliculture... Zone d'hivernage pour le Flamant rose. Canards colverts, pilets et souchets, barges, chevaliers, bécasseaux, et grèbes peuplent l'endroit, ainsi que le Goéland argenté, la Sterne naine, l'Huîtrier - pie, le Tadorne, l'Oedicnème criard et le Gravelot. On y trouve également d'autres espèces rares ou en régression comme la Mésange à moustaches, le Butor étoilé...

Port de Cassis (p 250)
ACCENT. Petit port de pêche de 8 000 habitants situé à 25 km de Marseille, Cassis est enserrée entre le Cap Canaille, dont les falaises les plus hautes d'Europe surplombent la mer à 416 m d'altitude, et le massif entaillé de profonds canyons.

Seconde Partie

Sète (p 252-253)
TRAFIC. Autrefois une île. Maintenant reliée à la terre, la ville est traversée, entrelacée de ponts et de canaux, et se dresse entre la Méditerranée et l'étang de Thau. Sète est un grand port (second français de la Méditerranée). Il n'est pas rare d'y voir accoster les ferries en provenance de Tanger ou d'une autre ville, les yachts de milliardaires anglais, les énormes tankers venant d'Odessa ou d'Inde, les quatre mâts navire école, et les chalutiers rentrant de la pêche.

Lyon (p 254-255)
INDUSTRIEUSE. Ville romaine, ville Renaissance, ville des canuts et des traboules, ville de la soie, de la chimie, deuxième ville de France avec 1,2 millions d'habitants assurant 10% du PIB national... Lyon est aussi un port. L'axe Rhône-Saône relie sans transbordements la région Rhône-Alpes avec l'Europe et les pays méditerranéens.

Lille (p 256-257)
RECONVERSION. La crise du textile l'a frappée de plein fouet dans les années 80. Lille a su opérer une reconversion spectaculaire en développant un secteur tertiaire qui emploie désormais 80 % de sa population active. Emblème de cette reconversion : la vente par correspondance, la grande distribution et le transport logistique. Ces secteurs très concentrés ont propulsé Lille Métropole au rang des grandes métropoles économiques européennes. 3e région exportatrice de France.

Marseille, port de commerce (p 258-259)
TRANS-MÉDITERRANÉE. Pétrole, chimie, pétrochimie, sidérurgie... Le Port Autonome de Marseille est l'un des carrefours européens les plus importants. Marseille est à la troisième place mondiale dans le domaine du transit pétrolier avec 64 millions de tonnes.... Elle est aussi la première plate-forme de production et de distribution des primeurs, agrumes et fruits exotiques sur les marchés français et européens, avec un trafic moyen annuel passant par le port de 600 000 tonnes.

Paris, vue de La Défense (p 260-261)
FUTUR. Le 12 septembre 1958 le général de Gaulle inaugure le CNIT (Centre National des Industries et Techniques) à l'occasion de l'exposition internationale de machines-outils. Depuis l'on a construit une véritable ville du futur avec, entre autres, la Grande arche de la Défense, achevée le 14 juillet 1989 lors du sommet du G7, et du bicentenaire de la révolution française, et les tours jumelles de Cœur Défense. Situé à plus de 110 m de haut, le Belvédère offre une vue exceptionnelle sur Paris.

Paris, vue générale (p 262-263)
SYMBOLE DE PARIS. Tout le monde connaît ces photos qui montrent l'évolution de la phase terminale de construction de la Tour : mars, septembre et décembre 1888, puis mars 1889 pour l'achèvement. Seulement 5 mois pour les fondations (21 mois pour la partie métallique). Le montage de la Tour est une merveille de précision, comme s'accordent à le reconnaître tous les chroniqueurs de l'époque. Commencé en janvier 1887, le chantier s'achève le 31 mars 1889. Gustave Eiffel fût décoré de la Légion d'Honneur sur l'étroite plate-forme du sommet.

Paris, Saint Sulpice (p 264-265)
GOÛT. L'Eglise Saint-Sulpice est grande comme une cathédrale. La tour de gauche porte le nom interdit par la religion hébraïque de Tour Yahvé, celle de droite, non achevée, abrita jusqu'en 1850 un télégraphe. Baudelaire et Sade furent baptisés dans cette église, et Camille Desmoulins et Victor Hugo s'y marièrent.

Stade de France (p 266-267)
CHAMPIONS. L'équipe de France y a gagné la coupe du monde de football, Céline Dion, Johnny Hallyday,

les Rolling Stones, s'y sont produits, et on y donne l'opéra Carmen. Le stade de France porte bien son slogan : tous les stades de l'émotion.

Lyon (p 268-269)
EXPANSION. Du haut de la Basilique Notre Dame de Fourvière, Lyon donne l'impression d'une certaine réserve. Et pourtant, le dynamisme de cette région au cœur de l'Europe, assurant la liaison entre le nord et le sud n'est plus à démontrer. Pour preuve, l'année dernière Lyon et la région Rhône-Alpes sont devenues la première région française pour les investissements étrangers, alors qu'elle n'était qu'au cinquième rang en 2001.

Strasbourg (p 270-271)
EUROPE. La ville à la cathédrale prestigieuse, au quartier historique de la Petite France, siège du parlement européen et du palais des droits de l'homme, deuxième ville diplomatique de France, n'est pas seulement ce patrimoine que nous envie l'Europe. C'est aussi une ville où il fait bon vivre, capitale d'une région, l'Alsace, où le taux de chômage est le plus faible de France.

Marseille (p 272)
AVENIR. Fondée par les grecs anciens, Marseille est dominée par la basilique Notre Dame de la Garde. Elle est aussi la deuxième ville de France, le troisième aéroport, la porte sur l'Afrique et la Méditerranée. Pour rester dans cette tradition, la ville a construit le Technopôle Marseille Provence, un site d'entreprises innovantes, d'instituts de recherche et de formation supérieure et au transfert de technologie dans les sciences de l'ingénieur. C'est aujourd'hui le Premier pôle français en mécanique - énergétique.

Troisième Partie

Pont de l'Ile de Ré (p 274-275)
COURBE. Et avalanche de chiffres : Longueur totale : 2927 mètres. Rayon de courbure : 5000 m. Nombre de travées : 27. Portée principale : 24 x 110 m. Construit par Bouygues en béton précontraint, le pont surplombe de 30 m les eaux les plus profondes. L'île est un site classé.

Canal du Loiret au dessus de la Loire (p 276-277)
MONSIEUR EIFFEL. Le pont-canal repose sur 14 piles en maçonnerie dont la forme en proue offre moins de résistance au passage des grandes crues. Le projet, approuvé le 24 mars 1890, fut adjugé le 16 mai à la Société Eiffel, constructeur de la Tour du même nom. Les travaux ont exigé 5 campagnes de 1890 à 1894.

Lac de Sainte Croix (p 278-279)
VERTIGE. Le pont de Galetas enjambe le lac de Sainte Croix, créé par la retenue des eaux à la sortie des gorges du Verdon, vaste canyon qui serpente entre des à pics de deux à sept cent mètres de hauteur au dessus des eaux.

Lac et barrage de Villefort en Lozère (p 280-281)
ENGLOUTI. Aux pieds des contreforts du Mont Lozère où naissent le Lot et le Tarn, vieux pays du Gévaudan, à l'entrée des gorges de l'Altier. Qui se souvient que lors de la construction du barrage dans les années soixante, le vieux village de Bayard fut noyé sous les eaux ?

Echangeur de Riou (p 282-283)
NŒUD. L'autoroute A 71 relie Clermont-Ferrand à Paris. L'échangeur est situé non loin de Clermont-Ferrand.

Port Grimaud (p 284-285)
PLAISANCE. La cité lacustre, adossée à la vieille ville de Grimaud semble avoir toujours été là. Cette « petite Venise provençale » a été créée de toutes pièces en 1966, dans le style d'un village de pêcheurs méditerranéens.

Barrage Beaufortin, lac de la Girotte (p 286)
GEL. Construit à partir de 1945, le barrage de la Girotte dans le massif du Mont Blanc a été conçu spécialement pour résister au gel. A 1727 mètres d'altitude, il y a des écarts entre - 20° c et + 20° c. Pour supporter ce genre d'écarts, il faut des bétons exempts d'éléments très fins ou de farine de pierre qui ne soient pas poreux.

Quatrième Partie

Parc de stationnement à Calais (p 288-289)
PARKING. Situé le long du détroit le plus fréquenté du monde par les trafics maritimes internationaux, Calais est le port par excellence pour les échanges entre le continent et la Grande-Bretagne.

Roissy Charles de Gaulle, Terminal 1 (p 290-291)
APESANTEUR. Décidé en 1964, sous De Gaulle, et mis en service dix ans plus tard, l'aéroport préfigurait l'espace futuriste : coupole de béton tout en apesanteur, traversée d'escalators de verre. Comme le Concorde, il faisait rêver. C'était le lieu de passage par excellence , où l'on peinait à se rencontrer. Depuis, les autres terminaux et extensions ont fait plus grand, mais plus convivial.

Marseille, port nord (p 292-293)
VILLE NOUVELLE. Décidé au début des années soixante, le nouveau port de Marseille a été réalisé dans le golfe de Fos. L'ancien port ne pouvait plus assurer le trafic qui s'étendait en raison de la situation géographique de la ville.

Lac du pont de Salars (p 294-295)
MÉANDRES. Le lac du village de Pont de Salars dans l'Aveyron, placé sur le cours du Viaur, donne une impression trompeuse d'étroitesse. En effet dans les méandres se nichent de vastes étendues d'eau : 6 km de long sur 150 à 250 m de large. La digue mise en service en 1952, est située à quelques centaines de mètres en amont du village.

Parking près de Trappes (p 296-297)
PIÉTONNIER. La région de Trappes est un véritable poumon vert avec 925 hectares d'espaces verts publics. La ville commença à se développer au Moyen Age, puis sous Louis XIV. Dans les années soixante dix, 5 villes nouvelles sont créées pour équilibrer Paris, dont celle de Saint Quentin en Yvelines qui englobe Trappes.

La Trinité sur Mer (p 298-299)
PARC. Vieux port breton près de la presqu'île de Quiberon, bassin ostréicole, naturellement protégé par un chenal, la Trinité a vu progressivement son activité de pêche céder la place à la navigation de plaisance.

Camping de Toreilles, Roussillon (p 300-301)
SOLEIL. Plusieurs campings se partagent la plage de Toreilles, entre le Barcarès et Saintes-Maries, près de l'étang de Salses.

Chantier naval de Saint Nazaire (p 302)
CHANTIER NAVAL DE L'ATLANTIQUE. Le Normandie, il y a soixante dix ans et le France, il y a quarante ans en sont sortis. Le Queen Mary 2, deux fois plus grand que le France, construit deux fois moins vite, verra le jour fin 2003, dans la grande tradition de l'industrie des loisirs !

Page 236-237 *- La Grande Motte, le port (34). Port de plaisance en petite Camargue.*

Page 239 *- Nice, le port (06). Non loin de la célèbre promenade des anglais.*

Page 241 *- Piau Engaly (65). Station de ski dans le Parc National de Pyrénées à 1850 mètres.*

Page 243 *- Carry le Rouet (13), le port. Station balnéaire entre Marseille, Martigues et l'Etang de Berre.*

Page 244-245 *- Lannion, Île grande (22). Reliée à la côte par un petit pont, au coeur de la côte de granit rose, entre Trébeurden et Perros-Guirec*

Page 246-247*- Métabief (25). Village sous la neige. Station de sports d'hiver.*

Page 248-249 *- Ile de la Coudalère, étang de Salses (66). Ensemble d'îlots. Site naturel près de Port Leucate et Port Barcarès.*

CI-CONTRE
Port de Cassis (13). Petit port de pêche à 25 kilomètres de Marseille.

SNCM FERRYTERRANEE
FERRYTERRANEE

SNCM FERRYTERRANEE

gan
UAP
AURORE
ESSO

Hoechst
RFA
TOTAL
CREDIT LYONNAIS
ATLANTIQUE
CREDIT LYONNAIS

CONFORAMA

Quick
DECATHLON
Gaumont
Racal-Datacom

Centre de Recherche
FERINEL

Page 252-253 *- Sète (34). La ville est traversée de ponts et de canaux, entre la Mer et l'étang de Thau. Sète est le second grand port français de la Méditerranée.*

Page 254-255 *- Lyon (69). Deuxième ville de France avec 1,2 millions d'habitants, et grand port fluvial.*

Page 256-257 *- Lille (59). Principale ville du nord de la France, avec la connexion Roubaix et Tourcoing.*

Page 258-259 *- Marseille, port de commerce (13). Premier port du sud de la France, à la troisième place mondiale dans le domaine du transit pétrolier.*

Page 260-261 *- Paris, vu de La Défense, l'Arc de Triomphe au loin. Quartier de grattes-ciels et de bureaux à l'ouest de la Capitale.*

Page 262-263 *- Paris, vue générale, la Tour Eiffel projetant son ombre. Symbole de Paris, construite à la fin du XIXe siècle pour l'Exposition Universelle.*

Page 264-265 *- Paris, Saint Sulpice. L'Eglise Saint-Sulpice a été érigée au XIXe siècle.*

Page 266-267 *- Stade de France, St-Denis (93). Construit à la fin du XXe siècle à l'occasion de la Coupe du Monde de Football de 1998.*

Page 268-269 *- Lyon (69). Grande ville industrielle, au coude à coude avec Marseille pour le titre de deuxième ville de France.*

Page 270-271 *- Strasbourg (67). Siège du parlement européen et du palais des droits de l'homme.*

CI-CONTRE *- Marseille (13). Technopole dynamique, et sièges de grandes entreprises innovantes.*

***Page 274-275** - Pont de l'Ile de Ré. Relie l'île au continent à 30 mètres de haut.*

***Page 276-277** - Canal du Loiret au dessus de la Loire (45). Pont-canal achevé en 1894 par l'entreprise de Gustave Eiffel.*

***Page 278-279** - Lac de Sainte Croix. Le pont de Galetas enjambe le lac de Sainte Croix à la sortie des gorges du Verdon.*

***Page 280-281** - Lac et barrage de Villefort en Lozère. Edifié dans les années soixante à l'entrée des gorges de l'Allier.*

***Page 282-283** - Echangeur de Riou (63). Nœud autoroutier près de Clermont-Ferrand à Paris.*

***Page 284-285** - Port Grimaud (83). Cité lacustre construite en 1966, adossée à la vieille ville de Grimaud.*

CI-CONTRE
Barrage Beaufortin, lac de la Girotte, Mont Blanc (73). Construit à partir de 1945.

AIR GABON

VISITEUR
VISITEUR
VISITEUR
VISITEUR
VISITEUR

DOUDOUNE
MN466176
MN798058

MN720369

Page 288-289 *- Parc de stationnement à Calais (62). Situé le long du détroit le plus fréquenté du monde par les trafics maritimes internationaux.*

Page 290-291 *- Roissy Charles de Gaulle, Terminal 1 (95). L'un des plus grands aéroports au monde si l'on inclut les autres terminaux.*

Page 292-293 *- Marseille (13), port nord. Le nouveau port de Marseille a été réalisé dans le golfe de Fos.*

Page 294-295 *- Pont de Salars (12). Barrage construit en 1952 sur le Viaur. Voûte en béton longue de 243 mètres et haute de 34 mètres.*

Page 296-297 *- Parking près de Trappes (78). Fait partie des infrastructures de Saint Quentin en Yvelines.*

Page 298-299 *- La Trinité sur Mer (56). Vieux port breton près de la presqu'île de Quiberon.*

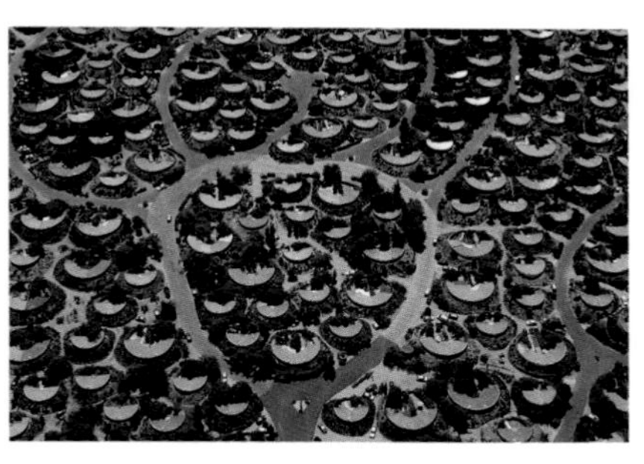

Page 300-301 *- Camping de Toreilles (66). Entre Barcarès et Argeles, il y a soixante kilomètres de plage de sable fin. Ici, l'un des campings de Toreilles.*

CI-CONTRE
Chantier naval de Saint-Nazaire (44). Les plus grands de France, et les premiers au monde pour les paquebots.

Crédits Photos

Page 2 : ©Serregio/Francedias.com
Page 4 : ©Damasse J./Francedias.com
Page 7 : ©AGE/Hoa-Qui
Page 9 : ©Sioen/Francedias.com
Page 11 : ©Damasse J./Francedias.com
Page 13 : ©Perrin T./ Hoa-Qui
Page 15 : ©Lorne P./Explorer
Page 17 : ©Frimat O./Francedias.com
Page 19 : ©Pellorce/Francedias.com
Page 20-21 : ©Arthus-Bertrand Y./Altitude
Page 23 : ©Cordier Sylvain/Explorer
Page 25 : ©Arthus-Bertrand Y./Altitude
Page 26-27 : ©Jourdan F./Altitude
Page 28-29 : ©Roy Philippe/Explorer
Page 30-31 : ©Cordier Sylvain/Explorer
Page 32-33 : ©Plisson P./Hoa-Qui
Page 34-35 : ©Jourdan F./Explorer
Page 36-37 : ©Body P./Hoa-Qui
Page 38 : ©Plisson P./Hoa-Qui
Page 40-41 : ©Plisson P./Hoa-Qui
Page 42-43 : ©Thomas J./Altitude
Page 44-45 : ©Vaisse C./Hoa-Qui
Page 46-47 : ©Arthus-Bertrand Y./Altitude
Page 48-49 : ©Damasse J./Explorer
Page 50-51 : ©Damasse J./Explorer
Page 52-53 : ©Van Der Meeren R./Altitude
Page 54-55 : ©Damasse J./Explorer
Page 56-57 : ©Van Der Meeren R./Altitude
Page 58 : ©Damasse J./Francedias.com
Page 60-61 : ©Arthus-Bertrand Y./Altitude
Page 62 : ©Seregio/Francedias.com
Page 63 : ©Thersiquel/Francedias.com
Page 64-65 : ©Jourdan F./Explorer
Page 66-67 : © Jourdan F./Explorer
Page 68-69 : ©Damasse J./Explorer
Page 70-71 : ©Royer P./Explorer
Page 72-73 : ©Jourdan F./Explorer
Page 74-75 : ©Hiscocks H./Altitude
Page 76-77 : ©Renaudeau M./Hoa-Qui
Page 78-79 : ©Damasse J./Francedias.com
Page 80 : ©Plisson P./Hoa-Qui
Page 82-83 : ©Damasse J./Explorer
Page 85 : ©Damasse J./Francedias.com
Page 87 : ©Delu CH./Hoa-Qui
Page 88-89 : ©Jourdan F./Explorer
Page 90-91 : ©Martin-Raget G./Hoa-Qui
Page 92-93 : ©Jourdan F./Explorer
Page 94-95 : ©Jourdan F./Explorer
Page 96-97 : ©Jourdan F./Explorer
Page 98-99 : ©Garnier M./Explorer
Page 100 : ©Hurlin P./Explorer
Page 102-103 : ©Jourdan F./Explorer
Page 104-105 : ©Jourdan F./Explorer
Page 106-107 : ©Lorne P./Explorer
Page 108-109 : ©Jourdan F./Explorer
Page 110-111 : ©Jourdan F./Explorer
Page 112-113 : ©Grouard D./Explorer
Page 114-115 : ©Arthus-Bertrand Y./Altitude
Page 116-117 : ©Jourdan F./Explorer
Page 118-119 : ©Jourdan F./Explorer
Page 120 : ©Jalain F./Explorer
Page 122-123 : ©Jourdan F./Altitude
Page 124-125 : ©Rossi A./Altitude
Page 126-127 : ©Arthus-Bertrand Y./Altitude
Page 128-129 : ©Arthus-Bertrand Y./Altitude
Page 130-131 : ©Arthus-Bertrand Y./Altitude
Page 132-133 : ©Jourdan F./Altitude
Page 134-135 : ©Jourdan F./Altitude
Page 136-137 : ©Jourdan F./Explorer
Page 138-139 : ©Arthus-Bertrand Y./Altitude
Page 140 : ©Jourdan F./Explorer
Page 142-143 : ©Royer/Francedias.com
Page 144-145 : ©Jourdan F./Explorer
Page 146-147 : ©Damasse J./ Explorer
Page 148-149 : ©Jourdan F./Explorer
Page 150-151 : ©Perrin T./ Hoa-Qui
Page 152-153 : ©Texier P./ Hoa-Qui
Page 154 : ©Jourdan F./Explorer
Page 156-157 : ©AGE/ Hoa-Qui
Page 159 : ©Valentin E./Hoa-Qui
Page 161 : ©Grandama S./Explorer
Page 162-163 : ©Thibaut N./Hoa-Qui
Page 164-165 : ©Damasse J./ Explorer
Page 166-167 : ©Goudounex D./Explorer
Page 168-169 : ©Martel O./Hoa-Qui
Page 170-171 : ©Perousse B./ Hoa-Qui
Page 172-173 : ©Arthus-Bertrand Y./Altitude
Page 174 : ©Roux O./Explorer
Page 176-177 : ©Thiriet C./Altitude
Page 178-179 : ©Arthus-Bertrand Y./Altitude
Page 180-181 : ©Le Toquin A./Explorer
Page 182-183 : ©Jourdan F./Explorer
Page 184-185 : ©Le Toquin A./Explorer
Page 186-187 : ©Valentin E./Hoa-Qui
Page 188-189 : ©Spritt P./Hoa-Qui
Page 190-191 : ©Martel O./Hoa-Qui
Page 192-193 : ©Garnier M./Explorer
Page 194 : ©Manaud JL./Hoa-Qui
Page 196-197 : ©Damasse J./ Explorer
Page 198-199 : ©Jourdan F./Explorer
Page 200-201 : ©Plisson P./Hoa-Qui
Page 202-203 : ©Jourdan F./Explorer
Page 204-205 : ©Jourdan F./Explorer
Page 206-207 : ©Plisson P./Hoa-Qui
Page 208-209 : ©Jourdan F./Explorer
Page 210-211 : ©Jourdan F./Explorer
Page 212-213 : ©Palau/Francedias.com
Page 214 : ©Sappa C./Hoa-Qui
Page 216-217 : ©Valentin E./Hoa-Qui
Page 218-219 : ©Damasse J./Francedias.com
Page 220-221 : ©Nichele F./Hoa-Qui
Page 222-223 : ©Renaudeau M./Hoa-Qui
Page 224-225 : ©Damasse J./Francedias.com
Page 226-227 : ©Valentin E./Hoa-Qui
Page 228-229 : ©Valentin E./Hoa-Qui
Page 230-231 : ©Thibaut N./Hoa-Qui
Page 232-233 : ©Sioen/Francedias.com
Page 234 : ©Valentin E./Hoa-Qui
Page 236-237 : ©Sappa C./Hoa-Qui
Page 238-239 : ©Perousse B./Hoa-Qui
Page 240-241 : ©Roy P./Hoa-Qui
Page 242-243 : ©Martin-Raget G./Hoa-Qui
Page 244 : ©Plisson P./Hoa-Qui
Page 246-247 : ©Thibaut N./Hoa-Qui
Page 248-249 : ©Damasse J./Francedias.com
Page 250-251 : ©Jourdan F./Explorer
Page 252-253 : ©Jourdan F./Explorer
Page 254-255 : ©Zefa/Hoa-Qui
Page 256-257 : ©Rigoulet G./Hoa-Qui
Page 258-259 : ©Wolf A./Hoa-Qui
Page 260-261 : ©Renaudeau M./Hoa-Qui
Page 262-263 : ©Renaudeau M./Hoa-Qui
Page 264 : ©Wolf A./Hoa-Qui
Page 266-267 : ©Riffet D./Explorer
Page 268-269 : ©AGE/Hoa-Qui
Page 270-271 : ©Campanella N./Francedias.com
Page 272-273 : ©AGE/Hoa-Qui
Page 274-275 : ©Andrieu M./Altitude
Page 276-277 : ©Hiscocks H./Altitude
Page 278-279 : ©Jourdan F./Explorer
Page 280 -281 : ©Pellorce/Francedias.com
Page 282-283 : ©Damasse J./Francedias.com
Page 284 : ©Chazot F./Explorer
Page 286-287 : ©Pellorce/Francedias.com
Page 288-289 : ©Arthus-Bertrand Y./Altitude
Page 290-291 : ©Arthus-Bertrand Y./Altitude
Page 292-293 : ©Martin-Raget G./Hoa-Qui
Page 294-295 : ©Damasse J./Explorer
Page 296-297 : ©Arthus-Bertrand Y./Altitude
Page 298-299 : ©Plisson P./Hoa-Qui
Page 300-301 : ©Sioen/Francedias.com
Page 302 : ©Plisson P./Hoa-Qui